Ruth Cardello

Le Milliardaire et moi

Les Héritiers – 1

Traduit de l'anglais (États-Unis) par Frédéric Le Berre

Milady Romance

Milady est un label des éditions Bragelonne

1re édition : juin 2013
2e édition : février 2014

ISBN : 978-2-8112-1143-1

Bragelonne – Milady
60-62, rue d'Hauteville – 75010 Paris

E-mail : info@milady.fr
Site Internet : www.milady.fr

À Heather et Karen – deux amies qui ne se lassent jamais de revoir avec moi la trame de mes histoires. À mon mari adoré – un homme bon et généreux qui accepte souvent de se charger des corvées pour me permettre d'écrire.

Chapitre premier

En mourant ce jour-là précisément, son père l'avait emporté une fois encore. *Ce vieux salaud.*

Dominic Corisi claqua la portière de sa Bugatti Veyron noire pour s'éloigner sur le trottoir de la ville de Boston brûlée par le soleil, sans même un regard pour sa merveille mécanique à un million de dollars. Le plaisir que lui procurait le fait de posséder ce bolide était mort en même temps que l'envie de répondre à son portable – qui sonnait pourtant sans discontinuer depuis la veille. Plutôt que de l'éteindre, il l'avait enfoui au fond d'une poche de sa veste, comme une balise lointaine censée maintenir un lien avec sa vie.

En dépit de la chaleur oppressante sur la ville, il s'arrêta un instant au pied des escaliers de sa vieille demeure de Boston, à la façade en briques. Hormis sa situation toute proche de la zone animée de Newbury Street, elle ne payait pas particulièrement de mine. Si ses souvenirs étaient exacts, les pièces étaient petites et l'escalier grinçait – un désagrément qu'il n'avait jamais trouvé le temps de corriger. En tout cas, rien à voir avec les manoirs et autres résidences immenses qu'il possédait désormais dans divers pays de par le monde.

Pour autant, c'était probablement là que Dominic se sentirait le plus chez lui.

Son téléphone émit une sonnerie qu'il ne pouvait ignorer. *Jake.* Son bras droit n'allait pas manquer de rappeler, et de réduire à néant la plus petite chance qu'il avait de trouver un moment de paix derrière ces murs.

— Corisi, aboya-t-il en prenant la communication.

— Ah, Dominic. Je suis bien content de t'avoir au bout du fil, dit Jake Walton d'un ton doux et placide.

À croire qu'il ne venait pas de passer deux jours à tenter de l'appeler.

Jake, fidèle à lui-même, calme et professionnel même au plus fort d'une OPA hostile. Rien ne le décontenançait jamais.

En temps normal, Dominic appréciait son humeur toujours égale, mais ce jour-là, ce trait de caractère l'agaçait. La quarantaine d'heures qu'il venait de passer sans dormir n'était peut-être pas étrangère au phénomène. Il dut lutter contre une furieuse envie de balancer son téléphone par-dessus la grille de fer. Le monde n'était pas ce lieu ordonné et rationnel que Jake se complaisait à façonner. Le chaos et la laideur y régnaient en maîtres. Et, depuis peu, l'injustice aussi.

— Comment ça se passe à Boston ?

L'ineptie de la question faillit le faire sortir de ses gonds.

— D'après toi ?

Dominic espéra en vain que le silence qui s'ensuivit – un silence dont Jake n'était pas coutumier – mette fin à cette conversation qu'il aurait préféré éviter.

— Il faut qu'on parle du contrat avec la Chine. Le ministre du Commerce compte bien te voir demain pour régler les détails. Tu touches au but, Dominic. Ton rêve est à portée de main. La semaine prochaine, Corisi Enterprises fera partie des tout premiers groupes d'envergure internationale. Qu'est-ce que je dis au ministre ?

— Je ne sais pas, répondit Dominic d'un ton las.

Jake émit un bruit à mi-chemin entre l'étranglement et la toux, puis demeura silencieux – une réponse somme toute éloquente pour un homme accoutumé à traiter avec les diplomates internationaux les plus irascibles sans jamais perdre pied. C'était celui qui tenait le gouvernail et gardait le cap sur les eaux les plus démontées et imprévisibles. Du moins, jusque-là.

Pauvre Jake. Depuis qu'ils se connaissaient et travaillaient ensemble, rien ne les avait jamais préparés à cette subite envie qu'avait Dominic de se retirer du monde. Les bâtisseurs d'empires financiers ne font jamais un break sur un coup de tête. Et ils ne se cachent pas non plus – tout particulièrement après avoir tout orchestré pour conclure l'accord commercial du siècle. Bill Gates lui-même l'avait appelé la semaine précédente pour discuter de ses négociations.

— Jake, j'ai besoin de prendre du recul pendant une petite semaine. Pourquoi est-ce que tu ne prendrais pas en main le contrat avec la Chine ?

— Euh… c'est cela, oui…, repartit Jake, visiblement embarrassé.

En d'autres circonstances, son trouble aurait prêté à sourire.

— Tu peux t'en occuper, oui ou non ? demanda Dominic, dont l'esprit était au supplice sous l'effet d'une terrible migraine.

Tout bien pesé, c'était peut-être une erreur d'aller à Boston – là où, à l'âge de dix-sept ans, il avait tourné le dos à son héritage et était devenu serveur pour gagner de quoi lancer un enquêteur sur la piste de sa mère disparue. C'était dans cette maison de briques qu'il avait cultivé la haine pour son père, voyant qu'il se désintéressait du sort de sa femme et refusait de lever le petit doigt pour la chercher.

Tout à coup, la voix de Jake ramena Dominic à l'instant présent.

— Pas de problème. J'ai suivi pas à pas l'avancement du dossier avec l'Agence de promotion de l'investissement en Chine. Ils ont envie de conclure. Je vais annuler tous mes rendez-vous et me charger des tiens. Et puis, jusqu'à nouvel ordre, je vais demander à Duhamel de me faire suivre tous tes appels.

— Parfait.

— Dominic…, reprit Jake en laissant planer une hésitation. C'est normal d'avoir besoin d'un peu de temps pour faire son deuil. Tu viens de perdre ton père.

Un rire amer s'échappa de la gorge de Dominic.

— Crois-moi, ça fait longtemps que j'ai fait mon deuil.

Il s'appuya contre la grille métallique et leva les yeux pour contempler ce bâtiment vers lequel son instinct l'avait poussé à revenir, sur les traces de l'homme qu'il avait été par le passé, en quête de quelque chose qui lui permettrait de se défaire de la chape qu'il sentait peser sur lui, en dépit de tout ce qu'il avait pu accomplir. Dominic attendait vraiment beaucoup de ces vieilles briques et de ces murs aux papiers peints plus que défraîchis.

— C'est bien ce qui m'inquiète, répondit Jake. J'ignore ce que pouvaient bien être tes rêves et tes projets, ou ce qu'il a pu te faire subir, mais il n'est plus de ce monde. Tu dois tourner la page.

Jake demandait l'impossible. Bien sûr que le passé importait. Certains jours, c'était même la seule chose qui comptait.

— Fais ce que tu as à faire, Jake. Je ne te demande rien d'autre. Si tu ne t'en tires pas tout seul, préviens-moi et j'enverrai Priestly pour te seconder.

Pour la deuxième fois depuis qu'ils s'étaient rencontrés à Harvard, Jake perdit son sang-froid.

— Voilà bien une connerie, Dom. Tu veux envoyer Priestly en Chine? D'accord, fais ça. Comme tu dis, tu as fait de moi un homme riche. Je n'ai pas besoin de m'occuper de ça. Mais écoute-moi bien : tu ne resteras pas milliardaire bien longtemps, si nous lâchons tous les deux le gouvernail. Les enjeux sont énormes. Si tu merdes sur ce coup-là, les frais de justice, à eux seuls, te laisseront les mains vides. Tu as énormément investi de ta poche et là, tu joues dans la cour des grands. Les États n'ont pas la réputation de se montrer particulièrement compréhensifs envers ceux qui retirent leurs billes à la dernière minute.

Cette tirade aurait dû arracher Dominic à sa torpeur, mais elle parvint tout juste à franchir le voile d'hébétude qui s'était posé sur lui depuis qu'il avait reçu le coup de fil de l'avocat de son père. *Après tout, qu'importe cet argent !* Il avait gâché quinze années de sa vie à amasser la fortune qui allait lui permettre de déposer sur l'énorme bureau d'acajou de son père un contrat de rachat sans condition. Dominic aurait dû passer à l'offensive des années plus tôt, mais ses succès passés ne lui avaient jamais paru suffisants pour franchir le Rubicon. En imagination, il avait réglé cette journée jusque dans les moindres détails – celle où il parachèverait son entreprise en s'emparant de celle de son père. Tous les efforts qu'il avait consentis avaient eu pour unique objectif cette victoire absolue. En fait, Dominic avait misé sur le fait que le désespoir pousserait enfin son père à lui avouer ce qui était arrivé à sa mère.

Et c'était cela dont il devait faire le deuil.

À la place, il n'avait obtenu qu'un ensemble d'instructions soigneusement orchestrées, délivrées par l'avocat de son défunt père. Bien sûr, déshériter son fils unique ne lui suffisait pas ; Antonio Corisi avait aussi inscrit dans son testament des dispositions pour être sûr que Dominic n'ait d'autre choix que d'assister de bout en bout à sa lecture. Depuis la tombe, son père avait réussi à reprendre le contrôle sur son fils, en s'appuyant sur sa seule faiblesse, son unique regret.

Jake toussa pour rappeler à Dominic qu'il attendait sa réponse. Mais que pouvait-il bien dire ? Comme à son habitude, Jake avait parfaitement évalué la situation. Dans cette opération, Dominic avait apporté sa fortune en garantie, en complément de celles des autres investisseurs. Le jeu paraissait en valoir la chandelle. Ce contrat avec les autorités chinoises allait leur ouvrir grand les portes du marché des logiciels dans l'empire du Milieu. Leur influence à l'échelle mondiale allait enregistrer une progression exponentielle. La manœuvre était osée, mais bien menée, elle pouvait propulser Corisi Enterprises à un niveau stratosphérique que bien peu de groupes avaient réussi à atteindre. Une semaine plus tôt, cet objectif aurait eu à ses yeux l'allure d'une priorité absolue.

Jake pouvait très bien mener les négociations. Au sein du binôme, Dominic avait toujours été celui qui partait à l'assaut, pour faire bouger les lignes et dégager le terrain. Cette fois encore, il en irait de même. Simplement, Jake interviendrait un peu plus tôt dans le processus pour se charger de quelques documents. Certes, Priestly était bon à l'échelle des États-Unis, mais il n'était pas de la même étoffe.

—Une semaine, Jake.

C'était là ce que Dominic pouvait articuler de mieux en guise de supplique. Il espérait que ce serait suffisant.

Jake répondit sur un ton qui était plus celui d'un grand frère que d'un associé.

— Prends deux semaines si nécessaire. Mais ressaisis-toi. Je peux piloter ce contrat avec les Chinois, mais au bout du compte, il faudra quand même que tu le signes – et que tu viennes sur place. Je vais faire un communiqué et demander aux médias de respecter ton intimité et ton besoin de solitude. Ça devrait t'accorder quelques jours de tranquillité avant qu'ils rappliquent.

—Appelle Murdock.

Il me doit quelques services.

—Murdock? Le fameux Murdock? Je croyais qu'il avait pris sa retraite.

C'est ça qui fait toute la différence entre nous. En ne descendant pas combattre au fond des tranchées de la guerre financière, Jake avait su conserver des relations d'affaires au-dessus de tout reproche, mais il lui manquait du coup les entrées discrètes menant chez ces personnes tout à fait anodines en apparence, dont l'appui était cependant le secret d'une véritable influence au plan international. D'un ton détaché, Dominic communiqua à Jake un numéro de téléphone pour lequel bien des gens auraient été prêts à payer une petite fortune.

— Les hommes comme Murdock ne prennent jamais leur retraite. Ils délèguent depuis des lieux où le climat est plus chaud. Dis-lui que je ne veux même pas une brève positive. Cette information n'existe pas. Il comprendra.

Jake laissa filer un petit sifflement appréciateur.

— Y a-t-il quelqu'un en ce monde que tu ne connaisses pas ?

— Oui, toi. Je ne te connais plus si tu me rappelles aujourd'hui.

Jake émit un bref éclat de rire, mais ils savaient tous deux qu'il ne s'agissait pas d'une plaisanterie.

— Dom… Il y a encore une chose que tu pourrais faire pour ton bien, poursuivit Jake d'un ton étonnamment autoritaire.

Quoi encore ? songea Dominic avec un soupir.

— Ce soir, oublie l'ami Jack Daniels et va lever un de ces top-models que tu aimes fréquenter. Tu dormiras mieux.

Dominic répondit par un grognement qui n'engageait à rien. *Si seulement les choses étaient si simples.*

Chapitre 2

Les bras chargés de draps propres et soigneusement pliés, Abby Dartley se figea sur place quand elle entendit jouer la serrure de la porte d'entrée. *Merde.* Elle ne pouvait pas se permettre de se faire surprendre là, en particulier vêtue d'un simple jean et d'un tee-shirt trop grand en lieu et place de l'uniforme de femme de chambre de sa sœur. *Lil a besoin de ce boulot.* Faire le ménage dans la demeure d'un homme qui n'y venait pratiquement jamais, voilà un service qui lui avait semblé assez simple, même si c'était une tâche particulièrement ennuyeuse, pour aider sa sœur à conserver son emploi.

— Mais surtout, que personne ne te voie, avait insisté Lil entre deux quintes de la mauvaise toux qui accompagnait sa fièvre. Je serais virée sur le champ si on découvre que tu y es allée à ma place.

— Tu ne peux pas te faire porter pâle ? avait demandé Abby, le cœur plein d'espoir.

— J'ai déjà utilisé les deux jours d'arrêt auxquels j'ai droit pour Colby.

C'est à cet instant que Lil s'était mise à pleurer.

Un an plus tôt, Abby aurait laissé sa sœur ajouter cet échec à la longue liste des emplois auxquels elle s'était essayée sans succès, pour l'entretenir ensuite jusqu'à ce qu'elle se dégotte un nouveau job. Elles étaient déjà passées par là un nombre incalculable de fois, avec pour seul résultat que Lil en voulait un peu plus à Abby chaque année. L'étroite complicité qui les liait avant le décès de leurs parents n'était plus qu'un lointain souvenir, presque irréel.

À un moment, Abby avait envisagé de demander à sa sœur de déménager, dans l'espoir que cette séparation donnerait à Lil l'indépendance à laquelle, à l'en croire, elle aspirait ; mais ça, c'était avant qu'Abby prenne dans ses bras sa petite nièce tout juste née. Désormais, il ne s'agissait plus seulement de Lil. Colby méritait d'avoir une mère à la vie professionnelle enfin stable. Or, Lil était à deux doigts de parvenir à cet objectif : plus qu'un semestre et elle aurait achevé sa formation d'assistante de direction. Même lorsque le père de Colby s'en était allé en apprenant son imminente paternité, Lil ne s'était pas effondrée. Pour la première fois depuis le jour où les deux sœurs avaient reçu la nouvelle de l'accident qui avait coûté la vie à leurs deux parents, Lil n'avait pas fui ses responsabilités.

Un autre miracle de Colby.

Et si Lil avait attrapé la grippe, ce n'était pas sa faute. La moitié de la ville était soit en train de s'en remettre, soit en train de la soigner. Mais plus encore, cela faisait vraiment longtemps que Lil n'avait pas pris l'initiative de solliciter son aide – au lieu de seulement l'accepter à contrecœur. Abby ne voulait pas accorder trop d'importance à ces petits faits, mais elle ne pouvait pas s'empêcher d'y voir le signe que les choses entre elles allaient peut-être s'améliorer.

Abby l'aperçut, debout dans l'entrée, distant au point de lui donner l'impression qu'elle n'existait pas, et la première réflexion qu'elle se fit fut qu'il avait l'air bien trop épuisé pour un homme de son âge. De profonds cernes noirs, nettement visibles malgré son teint naturellement hâlé, soulignaient son regard. Son costume hors de prix ne parvenait pas à dissimuler la fatigue écrasante qui pesait sur ses larges épaules. D'après les explications de Lil, il payait ce qu'il fallait pour que le ménage soit fait chaque semaine dans sa demeure à la façade en briques, mais cela faisait plus de dix ans qu'il n'y avait pas mis les pieds. Apparemment, quelque chose l'avait poussé à revenir – un quelque chose qui l'avait dévasté.

Tout en avançant dans le hall d'entrée, il leva les yeux vers elle et son regard la traversa sans même s'arrêter.

— Vous pouvez y aller.

Elle envisagea un instant d'obéir à son ordre lâché d'un ton las, mais elle ne parvenait plus à bouger.

— Vous êtes sourde ? Je vous ai dit que vous pouviez partir. Vous finirez demain.

La voix de monsieur « costume Armani » n'était pas sans rappeler celle d'un enfant épuisé. Abby eut la conviction qu'il n'apprécierait guère cette comparaison. En cet instant, le plus sage aurait sans doute été de faire ce qu'il disait, de partir avant qu'il puisse poser la moindre question, mais Abby en était tout bonnement incapable.

Il n'avait pas la mine d'une personne qu'on peut raisonnablement laisser seule.

Mais n'était-elle pas en train d'imaginer des choses ? Ses amis disaient souvent d'elle qu'elle voulait voir le bien là où il n'y avait rien à voir. Une déformation professionnelle, sans aucun doute. Au collège, pour être un bon professeur, il faut aller au-delà des mots et des attitudes. Abby enseignait la littérature à des adolescents non anglophones, de sorte qu'elle était souvent envoyée dans les établissements les plus défavorisés de la ville. Elle était donc rompue à l'art de désamorcer les accès de colère exprimés sans raison. Bien souvent, les obscénités n'exprimaient rien d'autre qu'un appel au secours ; la dureté des paroles ne servait qu'à cacher la peur. Et la patience dont elle faisait preuve était généralement couronnée de succès. Année après année, des élèves venaient la remercier d'avoir cru en eux. Elle se doutait qu'elle avait été la seule à le faire pour certains d'entre eux. Mais ce jour-là, en ce lieu, elle n'était pas dans sa classe. Et elle ne savait absolument pas qui était l'homme qui se tenait en face d'elle.

Elle pouvait presque entendre la voix de sa sœur lui souffler à l'oreille que certaines choses ne la regardaient pas ; et Lil aurait eu raison de lui dire ça. Cet homme partagerait sûrement le point de vue de sa cadette sur sa tendance à materner, mais le bon cœur d'Abby n'en vola pas moins à son secours.

— Il y a des serviettes propres à l'étage, dit-elle en déposant les draps sur une table le long d'un mur du hall. Pourquoi n'iriez-vous pas prendre une douche, le temps que j'aille faire quelques achats à l'épicerie du coin ?

Il se redressa et reporta soudain toute son attention sur Abby. La jeune femme en eut le souffle coupé, subjuguée par le choc. Ses yeux d'un gris métallique la scrutèrent de la tête aux pieds. Dans son regard où brillait une lueur, l'irritation céda le pas à autre chose. En quatre pas décidés, il vint se planter devant elle. Quelques vapeurs d'alcool flottèrent jusqu'aux narines d'Abby. Elle leva la tête pour le regarder dans les yeux.

— C'est Jake qui vous envoie, c'est ça ? demanda-t-il tout en la jaugeant. Vous n'avez pourtant pas l'air d'un mannequin.

De surprise, elle cligna des yeux plusieurs fois, tandis que la sympathie qu'il lui avait inspirée se volatilisait.

— Et votre parfum n'est pas celui d'un homme en costume Armani, répliqua-t-elle, piquée au vif. Dans d'autres circonstances, je me serais abstenue d'en faire la remarque.

Les paroles d'Abby déclenchèrent quelque chose en lui. Il redressa les épaules et son regard se fit moins flou. Il n'avait pas l'habitude qu'on lui réponde.

Néanmoins, s'il avait eu l'intention de l'intimider en venant ainsi tout près d'elle, sa proximité produisait exactement l'effet inverse sur le corps de la jeune femme. Même dans son costume froissé, ou peut-être précisément à cause de ça, il était l'homme le plus sexy qu'elle ait jamais vu. Un homme comme on n'en rencontrait que sur grand écran ou dans les romans. Elle avait envie de caresser doucement sa joue mal rasée.

— Je n'ai pas dit que vous n'étiez pas attirante, gronda-t-il. Simplement, vous n'avez rien à voir avec les femmes minces comme des roseaux auxquelles je suis habitué.

Ça suffit. Les mains sur les hanches, elle haussa les sourcils pour lui lancer un défi silencieux.

Le temps suspendit son cours pendant que s'éternisait leur affrontement muet. Derrière son air agacé, il donnait l'impression d'attendre qu'elle fasse quelque chose pour l'apaiser d'une manière ou d'une autre. Mais Abby se contentait de soutenir son regard, attendant qu'il saisisse l'occasion de reconsidérer les mots qu'il avait choisis. Il fut le premier à détourner la tête. Ses joues s'étaient légèrement empourprées.

— D'accord, je me suis mal exprimé.

D'un geste irrité, il repoussa en arrière ses épais cheveux noirs, conférant à sa coiffure un aspect encore un peu plus échevelé… et sexy – si cela était encore possible. Sur son échelle personnelle de un à dix, Abby lui accordait déjà un bon douze ou treize, même en déduisant quelques points pour sa galanterie un peu rustre. Soudain, une pensée lui traversa l'esprit et une lueur fascinée alluma son œil sombre.

— Je me trompe ou vous venez de me faire remarquer que je pue?

Il se pencha en avant sur elle, jusqu'à ce que leurs lèvres se touchent presque. Toute trace de fatigue avait disparu en lui. Rehaussé d'une note alcoolisée, son parfum était particulièrement envoûtant. À cet instant, il incarnait une masculinité débridée, et il attendait bien plus d'Abby qu'une simple réponse à sa question. Aucun homme ne l'avait jamais regardée avec une telle intensité. La tension sexuelle qui émanait de lui exigeait une réponse que le corps de la jeune femme paraissait dangereusement disposé à lui accorder.

Abby réprima l'envie de combler la distance qui le séparait de lui. Elle avait déjà connu bien trop de désillusions pour croire que quelque chose d'aussi délicieux puisse réellement exister. Elle recula d'un tout petit pas en levant une main apaisante.

— Je n'ai tout de même pas été aussi sévère.

Un sourire amusé flotta sur les lèvres de l'inconnu.

— Savez-vous à qui vous avez affaire? demanda-t-il, sur un ton qu'il parvint à rendre plus intrigué que pompeux.

Son deuil familial lui avait sans doute valu une certaine notoriété, mais Abby ne regardait pour ainsi dire jamais la télévision. Pour le reste, Lil ne lui avait donné que le strict minimum d'informations – au cours d'une conversation un peu froide qui traduisait la tension qui caractérisait désormais leurs rapports.

— J'espère que vous êtes bien le propriétaire de cette maison. Sans quoi, je vais avoir des ennuis pour vous avoir laissé entrer, répliqua-t-elle avec un humour forcé.

Il ne rit pas.

— Vous n'en avez pas la moindre idée, n'est-ce pas ?

Étonnamment, il y avait comme une note d'espoir dans sa question.

Abby haussa les épaules, mais elle sentit ses cheveux se dresser sur sa tête. Quel genre d'homme pouvait être soulagé à l'idée de ne pas être reconnu ?

Un criminel.

Merde.

Les vêtements de prix ne signifiaient rien. Et d'ailleurs, si son costume était froissé, c'était peut-être à cause de l'empoignade avec celui qui en était le propriétaire légitime. Abby secoua la tête pour chasser cette pensée.

— Dites-moi que cette maison est bien la vôtre ?

Comme il ne répondait rien, elle chercha du regard ce qu'elle pourrait bien lui lancer si d'aventure il lui fallait fuir vers la porte. L'objet le plus proche était une lourde lampe de cuivre. S'il tentait le moindre mouvement…

Mais toute pensée cohérente s'évanouit de l'esprit d'Abby lorsqu'il sourit en posant la paume de ses mains chaudes sur les bras de la jeune femme.

— Mais oui, cette maison m'appartient.

Objectivement, la crainte que l'homme se prépare à contrer l'attaque qu'Abby méditait à coups de lampe ne pouvait pas être l'unique raison pour laquelle son cœur battait la chamade. Bien sûr, elle s'était déjà retrouvée tout près d'un homme auparavant, mais ses relations intimes passées s'étaient toujours déroulées dans le cadre d'une approche feutrée et tranquille. Jusqu'alors, aucun homme ne lui avait ainsi fait venir à l'esprit l'idée de l'abandon charnel. Lorsqu'il la regardait, tout était aboli : le monde et tous ceux qui le peuplaient.

— Et avant que vous m'en colliez une, vous voulez peut-être que je vous montre mon titre de propriété ? demanda-t-il.

Du pouce, il suivait la ligne des épaules d'Abby, en un lent mouvement hypnotique.

— C'est ce que vous voulez ? insista-t-il.

— Oui, acquiesça-t-elle dans un souffle.

Abby ne parvenait plus à penser au-delà de la façon dont son propre corps réagissait au contact de ces mains étrangères. Sous leurs caresses légères, sa peau devenait brûlante. Elle sentit naître au creux de son ventre une vibration dont jusqu'alors elle n'avait rien connu, hormis dans ses lectures. *Oui. Oui, à tout ce que vous voulez*.

L'homme qui la dominait d'une tête n'en perdait pas une miette. La lueur de plaisir qu'elle vit naître dans ses yeux l'arracha à sa torpeur. Elle fit un pas en arrière pour fuir son contact et s'admonesta mentalement.

Des élans passionnés de ce genre n'avaient absolument pas leur place dans l'existence qu'elle s'était bâtie.

— Non. Je veux dire, je vous crois. Vous aviez raison. Je ferais mieux de partir. Je finirai demain.

Les cils de l'inconnu vinrent voiler son regard. Son expression était indéchiffrable.

— Vous savez à quoi je pense? demanda-t-il.

À moins qu'il ne soit lui aussi en train d'imaginer leurs deux corps nus enlacés roulant sur l'épais tapis du salon, elle n'en avait pas la moindre idée.

— Non, répliqua-t-elle d'une voix rauque.

— Je meurs de faim et je déteste manger seul. Je serais très heureux que vous acceptiez de partager un repas avec moi.

Voilà qui ne serait pas prudent. Il y avait des centaines, voire des milliers de bonnes raisons pour lesquelles elle aurait été bien avisée de partir avant de se ridiculiser. Oui, mais voilà : elle était tentée.

Il y avait plus que la carrure athlétique de ses épaules qui attirait Abby. Plus que la ligne parfaite de sa mâchoire carrée. Elle ne pouvait même plus mettre sa subite attirance sur le compte de la tristesse dans les yeux gris de son interlocuteur. En effet, l'homme épuisé qu'elle avait découvert quelques instants plus tôt avait cédé la place à un autre, infiniment viril, qui savait exactement comment obtenir ce qu'il voulait. Et en cet instant précis, c'était elle qu'il voulait.

Toute sa raison lui hurlait de tourner les talons pour s'enfuir, mais n'était-ce pas précisément ce qu'elle faisait systématiquement lorsque la vie lui offrait quelque chose qui lui semblait trop beau pour être vrai ? Chaque fois, elle renonçait à ses rêves et ses désirs au profit d'une sécurité qu'elle jugeait plus fiable.

Pour une fois, elle avait envie de goûter au fruit qu'elle avait toujours refusé. Ce jour-là, elle n'allait pas fuir.

Du moins, pas immédiatement.

Elle allait partager un repas avec le demi-dieu qui se tenait devant elle, savourer pleinement la façon dont son regard suffisait à lui faire venir la chair de poule, puis s'en aller avant que quoi que ce soit puisse se produire. Comme ça, il n'aurait pas à manger seul, et elle pourrait jouer pendant une heure à croire que toute cette histoire était réalité.

— Chinois ? demanda-t-elle en passant en revue les restaurants du coin qui livraient à domicile.

La question parut lui faire l'effet d'une morsure.

— Qu'est-ce qu'ils ont, les Chinois ?

— Vous n'avez rien contre la nourriture chinoise ? poursuivit-elle pour clarifier.

— Oh, fit-il, visiblement soulagé. Des plats à emporter.

— Exactement. Il y a un excellent traiteur chinois au coin de la rue qui livre à domicile. À moins que vous ne préfériez que je vous propose autre chose.

— Non, non, répondit-il avec un petit sourire entendu, esquissé pour lui-même. Et excusez ma confusion, mais pendant un instant, j'avais oublié.

Il enfouit ses mains au fond de ses poches et souleva la pointe de ses chaussures en un mouvement espiègle. Son sourire amusé s'attardait sur ses lèvres.

— Oublié quoi ? demanda Abby, sans pouvoir s'en empêcher.

D'un geste empreint d'une douceur inattendue, il replaça du bout de l'index une petite boucle folâtre derrière l'oreille d'Abby.

— Que vous êtes exactement ce dont j'ai besoin.

Et alors qu'elle n'avait pas encore retrouvé son souffle, il recula d'un pas en lui tendant une poignée de billets excédant de loin le prix de n'importe quel plat qu'elle aurait pu choisir.

— Allez donc passer une commande pendant que je prends une douche, poursuivit-il en s'éloignant. On m'a fait comprendre que j'avais besoin d'en prendre une, ajouta-t-il encore par-dessus son épaule, avec un petit gloussement qui souligna son charme ravageur.

Abby le regarda s'élancer dans les escaliers en s'éventant le visage avec les billets. Ses joues étaient toutes rouges. Sans chasser tout à fait de son esprit l'image de monsieur « costume Armani » nu sous le jet de la douche au milieu des volutes de vapeur, Abby alla prendre son sac et son portable.

Un homme aussi séduisant, c'est forcément une source d'ennuis.

Heureusement, il était plus qu'improbable qu'elle ait à le revoir un jour. Ils allaient partager un moment autour d'un repas, puis elle s'en retournerait à sa sœur et à la réalité.

À l'existence douillette et sans surprise qu'elle avait su se bâtir.

Cette pensée ne lui procura pas le réconfort qu'elle suscitait d'ordinaire.

Chapitre 3

La douche brûlante – qu'il avait prise dans une salle de bains dont la superficie équivalait à celle des placards de ses autres propriétés – l'avait ragaillardi. Pendant qu'il se séchait, il dut se faire violence pour contenir cette excitation qu'il n'avait pas éprouvée avec une telle force depuis son adolescence. Chaque fois que l'image de sa gouvernante s'imposait à son esprit, c'est-à-dire environ toutes les dix secondes, il sentait le sang affluer dans ses veines…

Elle n'était pas du genre à faire la une des magazines. En songeant qu'il le lui avait vertement fait remarquer, il ne put retenir un grognement navré. *Bien joué.* Il pouvait toujours mettre cette franchise à la limite de la grossièreté sur le compte de la fatigue, mais les courbes qui se dessinaient sous le jean de la jeune femme n'y étaient sans doute pas étrangères.

Sa silhouette était sensuelle et généreuse là où elle se devait de l'être. Son visage au teint clair, constellé de taches de rousseur et sans maquillage, et ses boucles toutes simples échappées du chouchou, lui conféraient une allure franche et naturelle. Sur le papier, elle n'avait rien pour lui faire perdre la tête, mais lorsqu'elle avait braqué sur lui le feu de ses yeux ambrés, Dominic avait presque senti son cœur s'arrêter.

Elle avait un air à la fois innocent, sain et équilibré. Exactement le genre de femmes qu'il fuyait d'ordinaire. Mais peut-être pas si innocente que ça tout bien réfléchi, à en juger par la lueur qu'il avait décelée dans son regard lorsqu'il s'était approché d'elle.

Allait-elle rester toute la nuit ou s'éclipser pendant qu'il serait dans la salle de bains ? L'incertitude était une première pour lui – une expérience nouvelle et pas vraiment agréable. Il peigna à la hâte ses cheveux encore humides, avant de passer un pantalon de toile de couleur sable et une chemise blanche. Il se fit violence pour ne pas se ruer dans l'escalier afin de voir si elle était encore là, et descendit d'un pas calme et maîtrisé.

Il se savait séduisant, mais cela faisait bien longtemps qu'une femme ne l'avait pas regardé lui, plutôt que son argent et sa renommée. Or, non seulement sa gouvernante n'avait pas paru impressionnée outre mesure par ses vêtements de prix, mais elle l'avait carrément réprimandé. Abstraction faite du récent mouvement d'humeur de Jake au téléphone, Dominic n'avait aucun souvenir de la dernière personne qui s'y était risquée.

Et il avait aimé ça.

De deux choses l'une : soit la jeune femme n'avait pas la moindre idée de son identité, soit elle jouait à faire semblant pour éveiller son intérêt pour elle. Dans un cas comme dans l'autre, l'effet était réussi.

Une marche à la fois. Pour cette soirée, pas question de se précipiter. Au contraire, Dominic avait bien l'intention de savourer chaque instant – chaque centimètre carré de la peau de cette jolie brune avec sa petite queue de cheval.

À genoux sur un coussin à côté de la table basse en marbre, elle était occupée à ouvrir les barquettes des différents plats. Elle l'entendit arriver et releva la tête. L'espace d'un instant, elle donna l'impression de revenir sur sa décision – de ne pas vouloir prendre la fuite. Elle se releva précipitamment, mais ne recula pas d'un pouce lorsqu'il vint délibérément se planter juste devant elle.

Qu'est-ce qu'elle sent bon.

Les yeux de la jeune femme s'arrondirent et ses pupilles se dilatèrent, exactement comme il l'avait anticipé. *Pourvu qu'elle ne cède pas trop facilement,* songea-t-il. Peut-être n'était-ce que le frisson du chasseur à l'affût qui le faisait se sentir intensément vivant pour la première fois depuis longtemps. Néanmoins, sans particulièrement le chercher, cette jeune femme avait accompli le miracle auquel une bouteille entière de Jack Daniels n'était pas parvenue la veille. Elle avait fait taire les questions qui le taraudaient.

—Ça vous va comme ça ? demanda-t-elle en désignant la petite dînette disposée devant eux.

Deux verres d'eau et les assiettes en carton du restaurant étaient disposés sur la table basse. Dominic répondit avant même de mesurer le poids de ses paroles.

— Je crois bien que c'est la première fois que je vais manger par terre.

La jeune femme pivota et entreprit de ranger son pique-nique.

— Oui, c'est ce que je me disais. Un homme comme vous mange à table. Je vais…

Il la retint par le bras avant qu'elle puisse prendre une deuxième boîte.

— J'ai dit que je ne l'avais encore jamais fait. Pas que l'expérience ne me tente pas.

Le contact de la peau de la jeune femme sous ses doigts lui procurait une sensation délicieuse. Dangereusement délicieuse. Lentement, il retira sa main, puis prit la barquette qu'elle tenait pour la reposer sur la table.

— Asseyez-vous, intima-t-il d'un ton sans réplique.

Surprise, elle haussa les sourcils.

— Est-ce que les gens vous obéissent toujours ? s'enquit-elle sans s'exécuter.

— En général, oui, repartit-il avec un grand sourire nullement contrit.

La jeune femme le foudroya de ses yeux couleur d'ambre.

— Je crois bien que je ne vous aime pas, dit-elle.

Dominic sentit une pointe d'excitation monter en lui.

— Rien ne vous y oblige.

Ils ne se quittèrent pas du regard, et rien n'aurait pu dissimuler la vibration magnétique qui les attirait l'un vers l'autre. Elle détourna la tête la première et reprit place sur son coussin. D'un geste lent, elle sépara les deux baguettes de bois qui allaient lui servir de couverts. Dominic s'agenouilla en face d'elle sans détourner les yeux un instant. Elle tendit une main vers les différentes barquettes et Dominic retint son souffle. Il ne savait pratiquement rien d'elle mais, étonnamment, ses préférences et ses goûts lui importaient soudain.

Pratiquement rien ? songea-t-il avec agacement. *Oui, pas même son nom.* Il avait évité de le lui demander pour la même raison qu'il n'avait pas révélé le sien. Ce soir, il préférait s'isoler du monde extérieur.

— Merci, dit-il simplement.

La main de la jeune femme tressaillit et elle faillit lâcher la barquette de poulet aigre-doux inclinée au-dessus de son assiette. Elle rétablit l'équilibre de justesse et reposa le carton sur la table, les doigts tremblants.

— Et de quoi ?

Il attendit qu'elle relève les yeux vers lui pour répondre.

— D'être restée.

Elle inclina la tête sur le côté.

— Vous aviez besoin de quelqu'un à qui parler, répondit-elle.

— Parler ? persifla-t-il.

Ce n'était assurément pas ce genre d'activités que les femmes lui proposaient en règle générale. Et ce n'était certainement pas ce qu'il recherchait ce soir-là.

— Vous pensez sincèrement que c'est de ça dont j'ai besoin ? poursuivit-il en accompagnant sa question de son sourire le plus enjôleur.

De manière tout à fait inattendue, elle se moqua de lui au lieu de succomber.

— Non… ne me dites pas que cette autre activité est aussi dans vos cordes ?

Il ne put réprimer un éclat de rire. L'esprit piquant de la jeune femme titillait agréablement son sens de l'humour. Depuis quand n'avait-il pas rencontré une femme qui ne soit ni un pot de colle ni une pleureuse insupportablement émotive ?

— Vous ne ressemblez en rien aux femmes que je rencontre habituellement, dit-il en toute spontanéité. Et dans le bon sens, se hâta-t-il d'ajouter comme elle bredouillait quelque chose.

Elle détourna les yeux.

— Inutile de revenir là-dessus, grinça-t-elle.

Il se pencha sur la table pour lui relever le menton d'un doigt léger. Leurs regards se retrouvèrent.

— On dirait bien que mon charme n'opère plus.

Du pouce, il lui effleura les lèvres. Elles s'entrouvrirent d'elles-mêmes et il dut résister contre une furieuse envie de l'attirer à lui par-dessus la petite table.

— En fait, poursuivit-il, j'essaie simplement de vous dire que je vous trouve très séduisante.

Avec une petite toux nerveuse, la jeune femme se dégagea le menton. Puis, d'un geste plein de dédain, elle reprit ses baguettes.

— Si vous vouliez plus qu'une simple compagnie pour partager un repas, vous vous êtes trompé de personne, répliqua-t-elle avant d'enfourner une bouchée de riz pendant qu'il digérait son commentaire.

Dominic se rassit sur ses talons.

— Quel ton collet monté. Est-ce que vous commencez tous vos rendez-vous galants par ce genre de déclarations ?

— Ceci n'est pas un rendez-vous galant, répondit-elle entre deux bouchées désinvoltes.

— Non, mais ça pourrait.

Elle s'étrangla et tendit la main pour attraper son verre. Après avoir bu quelques gorgées, elle se leva.

— C'était une erreur, déclara-t-elle.

Il se leva à son tour pour l'empêcher de sortir. Il sentit le souffle de la jeune femme qui se faisait plus court.

— Dites-moi que je ne suis pas fou et que nous avons envie de la même chose, vous et moi, murmura-t-il en l'attirant doucement à lui jusqu'à ce que leurs deux corps se touchent.

— Je crois vraiment que ce n'est pas une bonne idée.

Il fit taire la jeune femme d'un baiser. Pendant un instant, elle demeura inerte, comme glacée entre ses bras. Puis, avec un frisson, elle arrondit la bouche pour répondre aux caresses de sa bouche. Dominic affermit encore son étreinte et elle se laissa aller contre lui. Avec un soupir, elle noua ses bras autour de son cou dans un élan plein de chaleur.

Dominic se pencha en arrière, de sorte que la jeune femme dut se mettre sur la pointe des pieds – et sentir pleinement contre elle l'excitation de celui qui l'embrassait. Elle gémit et ondula contre lui, portant son désir à son comble. Plus rien ne comptait pour Dominic, en dehors de ses sensations, de cette femme et de cette soirée.

— Restez ici cette nuit, murmura-t-il, le visage enfoui dans son cou. Si j'avais su que ma gouvernante était aussi sexy, je serais revenu depuis longtemps à Boston.

Elle s'écarta de lui d'un mouvement si vif que les mains de Dominic retombèrent.

— Merde, lâcha-t-elle sans cesser de reculer.

Il tendit les bras, mais elle se défit de son étreinte. Quelle qu'ait pu être l'étincelle née entre eux, la remarque de Dominic l'avait étouffée. Il se maudit intérieurement de sa stupidité.

— Je dois y aller, reprit-elle en le contournant pour gagner la porte.

— Restez. Je sais que ça peut paraître fou. J'ai toujours veillé à ne pas…

— … frayer avec le petit personnel ? suggéra-t-elle d'un ton rehaussé d'une pointe d'acidité.

—Oui, mais uniquement pour éviter que quelqu'un se retrouve dans une situation embarrassante…

Dominic prit la mesure de l'ironie de ses paroles lorsqu'il tenta de s'interposer entre la jeune femme et la porte. Mais les choses étaient différentes cette fois-ci. Cette femme était différente.

—Comme c'est délicat de votre part! lança-t-elle par-dessus son épaule.

—Je me fiche du travail que vous faites. Ça n'a aucune espèce d'importance.

— Ça en a pour moi.

Bras écartés, il lui bloqua le passage. Elle ne pouvait pas partir. Pas comme ça.

—Restez.

—Je ne peux pas. Il faut que j'y aille.

—Ce n'est pas ce que vous voulez.

— Ce que je veux, c'est que vous me laissiez sortir, répliqua-t-elle.

Les bras de Dominic retombèrent, comme à bout de force. Il s'écarta de son chemin. Non, elle ne pouvait pas parler sérieusement.

— Pourquoi le nier? Vous avez envie de moi autant que j'ai envie de vous.

Sans un regard, elle passa devant lui pour regagner l'entrée.

—Je vous avais dit que j'acceptais de partager un repas avec vous, rien de plus, déclara-t-elle d'une voix plus empreinte de tristesse que de colère.

Dominic était certain qu'elle le désirait. Elle avait pris plaisir à leur baiser au moins autant que lui. Tantôt brûlante et tantôt glacée. Était-ce un jeu ? Si tel était le cas, il n'avait aucune intention de perdre.

Il y avait une manière de connaître ses véritables intentions.

— Accepteriez-vous de rester pour dix mille dollars ? demanda-t-il.

Elle s'arrêta, la main sur la poignée de la porte, pour se retourner vers lui. Dominic ressentit une vive déception.

— Vous croyez que je suis à vendre ? demanda-t-elle.

Il espérait bien que non.

— Et pour cent mille dollars ? insista-t-il au prix d'un effort.

— C'est parce que je fais le ménage pour gagner ma vie que vous pensez pouvoir me parler ainsi ?

Les mains sur les hanches, elle braquait sur lui un regard furieux. Elle était magnifique.

Le test final.

— Vous êtes dure en affaires. Un million. Je n'ai encore jamais rencontré une femme qui vaille ce prix, mais je crois que vous ne regretterez pas votre nuit.

— Vous êtes immonde. Égocentrique et immonde, dit-elle en ouvrant la porte d'une main. Et si vous avez vraiment un million de dollars, vous pouvez vous le mettre dans…

Ses derniers mots se perdirent dans le fracas de la porte claquée derrière elle.

Dominic avait néanmoins une idée assez précise de la destination suggérée.

Le gloussement qui lui montait dans la gorge s'épanouit jusqu'à devenir un grand éclat de rire. Des larmes lui coulaient sur les joues. Comme cela lui faisait du bien de sentir la tension se relâcher. *Quelle femme incroyable !* Il se remémora la soirée et ne put réprimer un nouvel éclat de rire. Puis il reprit place sur son coussin devant la table basse et se servit du riz sauté.

Elle reviendrait.

Il allait y veiller.

Chapitre 4

En entendant le rire de ce gros lourdaud imbu de lui-même, Abby eut envie de rouvrir la porte pour lui lancer une chaussure au visage. Elle se fit violence pour ne pas céder à son impulsion. Elle se contenta d'inspirer profondément et de descendre les marches du perron. Dans le cadre de son travail, elle passait le plus clair de son temps à vanter les mérites de la résolution pacifique des conflits, mais ce monsieur « costume Armani » sapait sérieusement les bases de cette philosophie.

Il venait ni plus ni moins de lui proposer de l'argent comme à une vulgaire prostituée. Mais quel genre d'homme fait une chose pareille ? *Un homme qui a tout l'air d'avoir dormi dans sa voiture après une nuit passée dans les bars.*

D'un coup d'œil par-dessus son épaule, Abby s'assura qu'il ne l'avait pas suivie – puis jugea qu'elle n'était pas déçue qu'il se soit abstenu. Ce type n'était qu'un abruti arrogant. *Incroyablement séduisant, mais abruti et arrogant quand même.*

Quelqu'un avait garé une voiture noire au style tape-à-l'œil juste derrière la petite citadine bleue de la jeune femme. Alors que la place ne manquait pas, le malotru l'avait coincée, par insouciance ou simple manque de considération pour autrui. Elle avança de quelques centimètres, puis recula d'autant en manœuvrant. Rien à faire. Impossible de sortir.

Mais quelle est l'espèce de... Attends... Non... Ce ne serait quand même pas lui ? La voiture noire était immatriculée à New York. Tout d'un coup, Abby eut l'absolue certitude que c'était bien monsieur « costume Armani » qui pilotait ce bolide.

Elle engagea la marche arrière puis, sous le coup d'une inspiration subite, recula tout doucement jusqu'à amener sa voiture au contact de celle qui la gênait. Les pare-chocs gémirent, les roues d'Abby patinèrent, mais les deux véhicules finirent par reculer suffisamment. Ensuite, en s'insérant dans le flot de la circulation, elle évalua la situation d'un rapide coup d'œil dans son rétroviseur. Le pare-chocs avant de la Bugatti était rayé et légèrement enfoncé. Il l'avait bien mérité et peu importait à Abby qu'il sache qu'elle était responsable de ces dégâts. Pour tout dire, si cela avait été possible, elle aurait bien volontiers signé son œuvre.

Rira bien qui rira le dernier, songea-t-elle en mettant le cap vers sa maison.

Sa joie fut de courte durée. Qu'allait-elle bien pouvoir dire à Lil ? Si Abby avait eu l'intention de faire virer sa sœur, elle n'aurait pas pu mieux s'y prendre. Même s'il n'allait pas se plaindre au sujet du comportement de la jeune femme, il n'allait sûrement pas passer l'éponge sur les dégâts infligés à son splendide cabriolet.

Elle n'avait aucune raison d'être fière de son acte. En toute sincérité, elle avait bien l'intention de battre sa coulpe lorsqu'elle raconterait les faits à sa sœur, mais pour l'heure, son geste continuait de lui procurer une certaine satisfaction. Elle imaginait la tête qu'il allait faire et un petit sourire flottait sur ses lèvres. Oh oui, il allait être furieux !

De manière tout à fait inattendue, l'idée de sa fureur ralluma l'excitation d'Abby. Un homme tel que lui ne se contenterait pas d'être en colère. Oui, il commencerait par crier, avant de l'attirer contre lui. À ce moment précis, leur passion prendrait tout naturellement le relais. Auraient-ils la patience d'atteindre la chambre ou bien assouviraient-ils leur désir dans les escaliers ?

Abby mit la climatisation pour rafraîchir ses joues enflammées. Il fallait à tout prix qu'elle cesse de penser à lui comme ça. Certes, il était agréable à regarder, mais il était cruellement dépourvu de qualités humaines. *Pour l'amour du ciel, il a proposé de m'acheter pour la nuit.*

Pourquoi donc avait-elle voulu que la soirée s'achève ainsi ?

Abby n'était pas de celles qui trouvent les hommes dangereux irrésistibles. Elle préférait fréquenter des hommes solides et dignes de confiance. Des hommes qui répondaient au programme qu'elle avait fixé à l'âge de dix-huit ans, pour elle-même comme pour sa sœur, lorsqu'elle était devenue tutrice légale de la jeune Lil.

Et depuis, la réussite de son existence compensait le manque de passion dans sa vie. Grâce à ses choix avisés, Abby était parvenue à jongler efficacement entre les études et les responsabilités. Le foyer vers lequel elle conduisait prouvait sans conteste que le chemin qu'elle avait tracé était le bon.

Les émotions que monsieur « costume Armani » avait subitement fait naître en elle ne cadraient pas avec ses priorités. La sensation était agréable, mais du genre qui finit mal. Inévitablement. Pour autant, cette certitude ne changeait rien au fait qu'Abby s'était sentie jeune, gaie et intensément vivante – pour la première fois depuis bien des années.

En se garant dans l'allée de son petit pavillon, bordée d'une haie impeccable, Abby se laissa une nouvelle fois aller au souvenir de leur baiser. Elle ne put retenir un frisson, malgré la chaleur étouffante de cette soirée de juin qui venait de s'engouffrer par la portière. En se redressant, elle aperçut son reflet dans la vitre ; elle souriait.

Abby, voyons, se dit-elle sur un ton de reproche. *Ressaisis-toi. Coucher avec monsieur « costume Armani » ne t'aurait rien apporté de bon.*

Rien d'autre qu'une nuit torride et inoubliable.

Abby adressa un petit grognement à son reflet. L'émotion se lisait encore sur son visage. Comment allait-elle pouvoir convaincre Lil de son remords de l'avoir fait renvoyer avec un pareil sourire béat et idiot ?

Dominic posa les pieds sur la table de travail du petit bureau de sa propriété. Le cuir abîmé du fauteuil pivotant fit resurgir le souvenir des jours anciens où son maigre budget l'avait contraint à opter pour ce mobilier. En ce temps, chaque jour était un nouveau défi pour lui, une raison de se lever le matin.

Il se servit un verre de Jack Daniels, mais le reposa sans même en boire une gorgée. D'ordinaire fort peu porté sur l'alcool, il avait temporairement cherché le réconfort dans les vapeurs éthyliques. Mais même au seuil de l'anéantissement, la colère et les reproches contre lui-même n'avaient pas cessé. Du moins, jusqu'à cet instant.

Ce soir-là, Dominic ne voulait plus penser à ce père qui l'avait renié lorsqu'il était parti à la recherche de sa mère, ni à l'amertume qu'il avait ressentie lorsqu'il avait dû renoncer. Il ne voulait plus songer à sa brillante réussite, ni au fait que ses pratiques dans le monde des affaires lui avaient valu de rester sans aucun ami.

Non, ce soir-là, pas question de se tourner vers le passé. Pour une fois, il avait un sujet de préoccupation qui n'avait rien à voir avec l'argent ou la vengeance. Il voulait découvrir toutes les facettes de l'objet de son désir. Il avait eu tout faux au cours de la soirée et, pour redresser le tir, il allait lui falloir garder les idées claires et manœuvrer finement.

Il sortit son portable et prononça un seul mot.

—Jake.

Jake décrocha à la deuxième sonnerie.

— Dom, de quoi as-tu besoin ?

— J'aimerais que tu me rendes un service. Un grand service.

Méfiant, Jake laissa filer un instant en se redressant sur sa chaise.

— Hors de question que je tue quelqu'un pour toi.

Malgré la légèreté du ton de son associé, Dominic perçut nettement la note de gravité du sous-entendu.

— Tu crois sincèrement que j'utiliserais mon propre téléphone si je voulais te demander « d'effacer » quelqu'un ? répliqua Dominic en riant.

Jake ne paraissait pas disposé à partager son entrain.

— Oh, Jake. Je plaisante.

— Et moi, je ne plaisante pas avec les histoires qui pourraient m'obliger à aller me cacher au bout du monde pour échapper à une extradition.

La gravité de la voix de Jake lui fit l'effet d'une piqûre. À l'époque où ils bûchaient leurs examens et élaboraient les grandes lignes du développement de leur entreprise, dans cette petite pièce où Dominic se trouvait précisément, ni l'un ni l'autre n'aurait pu imaginer à quel point ils finiraient par dépasser tous leurs objectifs. Ni combien Dominic allait devoir devenir impitoyable pour y parvenir. Mais un meurtre ? Jusqu'où Jake imaginait-il que son ami avait pu descendre ? Bien sûr, il y avait bien eu quelques victimes financières sur la route vers le succès, mais rien qui ne sorte du cadre normal des affaires.

À l'instar du droit international, la morale est bien souvent une notion subjective. La réussite de Corisi Enterprises avait toujours donné lieu à des rumeurs de malversations, mais jusqu'à ce jour, Dominic pensait sincèrement que Jake connaissait la vérité.

— Tout ce dont j'ai besoin, Jake, c'est que tu contactes la société qui s'occupe de notre sécurité sur Boston.

Jake était tout ouïe.

— Que se passe-t-il ?

— Rien. Il me faut juste un topo complet sur une personne. En urgence. Ce soir.

— Pas de problème. C'est Luros Security qui est notre prestataire sur Boston. Je vais demander à Duhamel de les contacter. Que faut-il chercher ?

Dominic marqua une hésitation, mais il n'était pas du genre à remettre en cause ses décisions.

— Je ne connais pas son nom. Elle faisait le ménage chez moi aujourd'hui.

— Tu veux une enquête sur ta gouvernante ? demanda Jake, stupéfait. Elle t'a volé quelque chose ?

— Non. C'est compliqué. Mais je veux un rapport complet. Je veux savoir où elle vit, qui elle fréquente et si elle a une relation sérieuse.

— Oh, je vois, répondit Jake. C'est ce genre de topo que tu veux. Mais pour ça, il va peut-être falloir aller sur le terrain. Et il est déjà 18 heures à Boston.

— Je veux ces informations ce soir.

Jake poussa un soupir.

— Je suis sûr que Luros pourra envoyer quelqu'un.

— Peu importe le prix. Il me faut tout ça avant 20 heures.

— Tu auras ça. Il y a peu de choses que tu ne puisses obtenir si tu es disposé à y mettre le prix.

— Tu pourrais être surpris, marmonna Dominic avant de raccrocher.

À 19 h 45, un Dominic littéralement fasciné découvrait le secret d'Abigail Dartley. Le rapport et les photos arrivés quelques minutes plus tôt étaient étalés sur son bureau. Luros Security justifiait amplement ses tarifs. À partir de la description qu'il avait donnée, l'enquêteur avait su distinguer qu'elle n'était pas la gouvernante en titre, une certaine Lillian Dartley, mais qu'elle pouvait bien être sa sœur.

Peu après sa première conversation avec le détective, Dominic avait reçu sur son téléphone une copie de la photographie figurant sur le permis de conduire d'Abby, accompagnée d'un message lui demandant de confirmer l'identité.

Moins d'une heure plus tard, un coursier avait apporté le reste du dossier. Il y avait quelques relevés de compte, des témoignages glanés auprès d'amis et de voisins, et une description fascinante du dernier flirt d'Abby : le directeur d'une petite agence bancaire, avenant, poli et fiable. La première intuition de Dominic était donc juste. Abby appréciait la sécurité.

Dominic posa côte à côte les photos des deux sœurs, et son estime pour l'entreprise de Scott Luros grandit encore. De fait, les deux femmes répondaient pratiquement en tout point à la même description. Toutes deux avaient de longs cheveux bruns et bouclés et des yeux noisette. De nombreux hommes auraient certainement trouvé du charme à la sœur d'Abby, mais Lillian était dénuée de cette ronde suavité qui rendait sa sœur si désirable – un peu anguleuse là où Abby était plantureuse. C'était surtout leur attitude respective qui distinguait les deux sœurs. Abby se tenait bien droite, comme une femme qui roule fièrement jusqu'au maximum de la vitesse autorisée, alors que la raideur du corps de sa sœur conférait à son allure une forme de morgue et de défi. C'était cette nuance qui expliquait l'étonnante distance physique entre les deux.

Avec un intérêt croissant, Dominic se plongea dans les détails de la vie d'Abby. Tout bien pesé, cette aura de femme saine et équilibrée qu'elle dégageait n'avait peut-être rien de factice. La jeune femme, que tout le monde appelait Abby, s'était occupée de sa jeune sœur après le décès de leurs parents. Elle était un membre respectable et respecté de sa communauté, une amie pour la plupart de ceux qui la connaissaient, et une voisine appréciée. Dans les trois pages de témoignages recueillis, tout le monde n'avait que des mots aimables à dire sur elle.

Apparemment, rien ne laissait supposer qu'elle puisse être autre chose qu'une enseignante qui avait pris la place de sa sœur pour un soir – une prof dont les vacances d'été venaient tout juste de commencer.

Parfait.

Une charmante petite prof qui, en toute innocence, avait expliqué à un voisin à quel point sa sœur pourrait avoir des ennuis si son remplacement venait à être révélé.

Encore mieux.

C'est presque trop facile.

Après la lecture du testament le lendemain après-midi, il serait libre à…

Une pensée le frappa soudain. Pourquoi ne pas y aller avec elle ? Abby serait une distraction idéale. Avec elle à ses côtés, il n'aurait que faire des clauses machiavéliques édictées par son père, ou des humeurs de sa sœur.

À cette seule évocation de la jeune femme, Dominic sentit son sang affluer furieusement dans ses veines. En outre, cela ne pourrait pas nuire de lui montrer qu'il était riche au point de tenir pour quantité négligeable d'avoir été déshérité par son père. Oui, il allait lui demander de venir – pour qu'elle rende supportable cette situation intolérable. Ensuite, il conduirait mademoiselle «l'institutrice» dans quelque garçonnière ridiculement luxueuse et hors de prix, histoire de lui montrer précisément ce qu'elle avait loupé.

Il composa le numéro de téléphone qui accompagnait la photo d'Abby, puis attendit, en osant à peine respirer.

—Allô, répondit-elle à la quatrième sonnerie.

— Dominic Corisi à l'appareil. Je souhaiterais parler à Abby Dartley.

Il y eut un instant de silence, puis quelques mots étouffés échangés avec quelqu'un. À l'évidence, Abby avait posé une main sur le combiné. Une voix féminine lui répondit – très probablement sa sœur. Apparemment, elles n'étaient pas d'accord sur ce qu'il convenait de faire et, à mesure que leur échange s'échauffait, la main d'Abby glissait du combiné. Pour finir, Dominic intervint dans la conversation.

— Votre idée est amusante, mais je crois qu'il est inutile de demander à votre sœur de se faire passer pour vous, Abby. J'ai percé à jour votre petit stratagème.

— Merde, dit Abby. Vous avez entendu, c'est ça?

À son grand étonnement, il se surprit à rire. Il retira ses pieds de la table pour les poser au sol et se mit en appui sur un coude.

— Disons que vous avez bien fait d'opter pour l'enseignement plutôt que pour l'espionnage.

— Comment m'avez-vous retrouvée? demanda-t-elle. Et d'abord, comment savez-vous que je suis prof?

— Ce n'est pas important. Je vous appelle…

Elle ne le laissa pas poursuivre.

— C'est pas vrai… Vous avez payé quelqu'un pour enquêter sur moi! La voisine m'a dit qu'un homme était venu poser des questions assez bizarres à mon sujet.

La discrétion n'était sans doute pas le point fort de Luros. Il ne manquerait pas de le leur signaler. Mais à la décharge de l'enquêteur, il ne devait pas lui arriver si souvent d'avoir à recueillir des informations sur quelqu'un dans un délai aussi court.

— Vous êtes partie sans même m'avoir dit votre nom. Vous ne pouvez pas en vouloir à un homme de vouloir savoir avec qui il a dîné.

— Et du coup, vous cuisinez mes voisins. Ce n'est quand même pas la même chose que de regarder dans l'annuaire.

— Vous savez aussi bien que moi que notre histoire n'est pas finie, répondit-il.

De l'index, il suivait le rebord de son verre toujours intact.

— Vous y attachez bien plus d'importance que ça n'en a réellement. En fait, il ne s'est rien passé.

— Parce que vous vous êtes enfuie.

— Ce n'est pas vrai.

— Bien sûr que si. Vous pensez vraiment que j'en ai quelque chose à faire que vous soyez prof et non pas la gouvernante en titre ?

— Et vous, vous pensiez vraiment que j'allais coucher avec vous pour de l'argent ? répliqua-t-elle sèchement.

— Je n'en étais pas sûr, répondit-il en toute honnêteté.

En entendant le souffle de la jeune femme, Dominic comprit son erreur.

— Mais maintenant que j'ai pris connaissance de certains éléments de votre vie, je mesure à quel point j'ai pu me montrer offensant, se hâta-t-il d'ajouter.

— « J'ai pu me montrer offensant ? » « J'ai pris connaissance de certains éléments de votre vie ? » Ce n'est pas cette conversation qui va me faire revenir sur ma première impression. Vous êtes un abruti arrogant, point barre.

— Ce qui ne vous a pas empêchée de m'embrasser.

Le seul fait de prononcer ces paroles fit battre le cœur de Dominic. C'était un plaisir qu'il goûterait de nouveau. Bientôt.

— C'est vous qui m'avez embrassée, corrigea-t-elle.

— Je n'ai pas le souvenir que vous m'ayez particulièrement repoussé. En fait, j'ai encore dans l'oreille votre petit gémissement à la fin de notre baiser. Et je me demandais quels autres petits bruits vous pourriez faire pour moi.

Oh, comme il aurait voulu voir son visage à cet instant. À en juger par le souffle haletant de la jeune femme, Dominic sut que sa remarque avait fait mouche. Elle était furieuse. Et lui, totalement impénitent, ne l'en désirait que davantage. À force d'imaginer ce qu'il pourrait faire de toute cette émotion incandescente si elle était en sa compagnie, il faillit perdre le fil. Avant même qu'elle ait le temps de s'interroger sur la respiration saccadée de son interlocuteur, Dominic se hâta d'enchaîner :

— Une limousine passera vous prendre demain matin à 11 heures. Portez quelque chose d'élégant.

Abby s'étrangla de fureur.

— Vous êtes fou ? Je n'irai nulle part avec vous.

— Vous savez pertinemment que vous avez envie de me revoir, répondit-il sur un ton de défi.

— Et si j'ai déjà quelqu'un dans ma vie ? demanda-t-elle dans une tentative désespérée et un peu vaine de fuir son emprise.

— Cela fait plusieurs mois que vous avez rompu avec votre banquier.

Un nouvel étranglement indigné répondit à sa remarque satisfaite.

— Vous croyez vraiment avoir réponse à tout, n'est-ce pas ?

Leur échange avait beau être piquant, Dominic commençait à trouver sa résistance obstinée quelque peu agaçante.

— La limousine sera chez vous à 11 heures.

— Vous pouvez toujours en envoyer cent, je n'irai nulle part avec vous. Envoyez donc aussi votre enquêteur. Il pourra prendre une belle photo de ma porte fermée.

Ça suffit.

— Vous monterez dans cette limousine.

— Essayez de m'y obliger pour voir.

Subitement, quelque chose céda dans son esprit. Jusque-là, la possibilité qu'elle puisse refuser ne l'avait même pas effleuré. Désormais, c'était une option qu'il excluait d'envisager.

—Vous viendrez… à moins que le travail de votre sœur n'ait plus aucune importance à vos yeux ?

—Vous n'êtes pas sérieusement en train de me faire chanter pour que je vous accompagne quelque part ? C'est comme ça que les hommes riches trouvent des femmes avec qui sortir ? Est-ce que vous ne poussez pas le bouchon un peu loin ?

Contrairement à la plupart des gens que Dominic connaissait, Abby n'était nullement intimidée par sa personne ou ses menaces. Et cela ne l'en rendait que plus désirable. Après un instant de silence, Abby reprit la parole.

—Ou alors, c'est à cause de votre voiture ?

Hein, de quoi parle-t-elle ? songea Dominic en s'approchant de la fenêtre.

—Qu'est-ce qu'elle a ma voiture ?

—Oh, rien. Rien. Oubliez ce que je viens de dire, répondit-elle avec, pour la première fois, une pointe de nervosité dans la voix.

Deuxième carton jaune pour Luros. Leur rapport ne disait rien d'un éventuel accès de vandalisme. Or, même à la faible lueur de l'éclairage public, il distinguait nettement les bosses sur son pare-chocs. Incrédule, il secoua la tête.

Au cours de cette conversation, rien ne s'était passé comme il l'avait prévu. Initialement, il avait pensé lui demander cordialement de l'accompagner, en s'attendant à ce qu'elle accepte tout naturellement.

Elle se révélait délicieusement imprévisible et rebelle. Sa résistance n'en rendrait que plus douce la victoire de Dominic. Et le sentiment de culpabilité qu'elle venait de trahir était précisément l'arme dont il avait besoin pour parvenir à ses fins.

— Avez-vous la moindre idée du prix de cette voiture ? demanda-t-il.

— Je ne vois absolument pas de quoi vous voulez parler, esquiva-t-elle, en proie à un malaise palpable.

Abby était une bien piètre menteuse. Certain d'avoir la situation bien en main, Dominic conclut d'un ton qui ne souffrait nulle contestation :

— Soyez prête à 11 heures.

— Allez au diable ! s'exclama-t-elle avant de raccrocher.

Le diable, oui, c'était bien avec lui qu'il avait rendez-vous le lendemain en son enfer, mais Dominic avait la ferme intention de ne pas y aller seul. Si elle pensait pouvoir l'emporter, alors elle avait grandement sous-estimé ce qu'il était prêt à faire pour arriver à ses fins.

Un seul coup de fil suffirait pour l'obliger à monter dans cette limousine.

— Duhamel, dit-il dans son téléphone.

À la deuxième sonnerie, son assistante prit la communication. Dominic parla directement, sans laisser à son correspondant le temps de dire quoi que ce soit.

— J'ai besoin que tu fasses quelque chose pour moi. Considère ça comme un service personnel.

Chapitre 5

En se retournant après avoir raccroché, Abby se retrouva nez à nez avec Lil, son bébé sur la hanche, en train de secouer la tête avec un air amusé.

— Je n'arrive pas à le croire, dit Lil. Abby Dartley qui se lance tête baissée dans une aventure sulfureuse.

Je l'ai bien mérité, songea Abby. Pendant des années, elle avait fait la leçon à sa sœur sur le type d'hommes qu'il fallait fuir à tout prix. Jusqu'à ce jour, il ne lui avait jamais été difficile de réfuter souverainement l'argument de Lil selon lequel on ne choisit pas ceux par qui on est attiré.

Mais ça, c'était avant Dominic.

Dominic, ce rustre tyrannique et arrogant, qui n'hésite pas à recourir au chantage. La simple évocation de sa personne suffit à faire passer un frisson de désir depuis le cou de la jeune femme jusqu'au creux de ses reins. Quelle que soit la sortie qu'il avait prévue pour elle – à coup sûr, avec une idée derrière la tête –, Abby n'avait aucune intention de l'accompagner. Néanmoins, elle avait bien le droit de se laisser aller un instant au plaisir du fantasme.

Lil fit passer Colby sur son autre hanche.

— C'était vraiment Dominic Corisi ?

Abby passa devant sa sœur et entreprit de ranger le désordre dans la pièce. La fièvre de Lil avait fini par tomber. Inutile que le salon continue de ressembler à une infirmerie.

— Oui, c'était lui. Je t'ai dit que je l'avais rencontré.

Lil la suivit jusque dans la cuisine.

— Oui, tu me l'as dit. Mais j'ai l'impression que tu as omis quelques petits détails.

Les joues d'Abby s'empourprèrent.

Sa sœur s'empara immédiatement de cette réponse bien involontaire.

— Eh bien, tu as dû lui taper dans l'œil s'il t'envoie une limousine. Et ne me dis pas que tu ne veux pas y aller. Tu as l'air raide dingue de lui.

Abby rinça plusieurs verres dans l'évier avant de les mettre dans le lave-vaisselle. Par son silence, elle espérait décourager Lil – qui se contentait quant à elle d'attendre patiemment, sans même tenter de dissimuler son amusement.

— Vas-y, moque-toi. Je l'ai bien mérité. Ce type est un vrai con, mais…

— … mais il te plaît, la coupa Lil.

— C'est bête, hein ?

Le sourire de Lil se chargea d'une note compatissante.

— Non. Mais on ne s'attendrait pas à quelque chose de si humain venant de toi.

— Qu'est-ce que c'est censé signifier ?

— Que tu as toujours été parfaite depuis la mort de papa et maman, répondit Lil en se rapprochant, Colby serrée contre elle. Ne te méprends pas, je te suis reconnaissante d'avoir toujours veillé sur moi, mais c'est vraiment difficile d'être à la hauteur de toutes tes attentes. Je trouve ça rafraîchissant de te voir comme ça.

— Je n'irai nulle part avec lui, déclara Abby en s'appuyant contre le plan de travail, les bras croisés sur sa poitrine.

— Tu crois qu'on trouve des hommes riches à tous les coins de rue ?

— Je me fiche de son argent.

Lil hocha la tête.

— D'accord, mais regarde-moi dans les yeux et dis-moi que tu n'as pas envie d'y aller.

D'un bond léger, Abby vint s'asseoir sur le plan de travail – ce qu'elle n'avait plus fait depuis des années – et laissa aller sa tête en arrière contre le bois du placard. Elle ferma les yeux – en sachant pertinemment qu'il était vain de lutter contre le sourire béat qui s'esquissait de nouveau sur son visage.

— Tu aurais dû voir ça. Il a déboulé avec sa mine fermée, mais ses yeux débordaient d'une tristesse sincère. J'ai juste ressenti le besoin de le réconforter. Puis il m'a regardée et… et tout à coup, j'étais en feu. Je ne m'étais encore jamais sentie comme ça. Et peu importe que je ne le connaisse pas, dit Abby qui se mordilla la lèvre et rouvrit les yeux. Tout cela n'a aucun sens.

— Qui a dit que les relations entre les êtres devaient avoir un sens ? À part toi, bien sûr. Tu peux préparer le plan le plus parfait, tu ne pourras jamais choisir vers qui ton cœur te poussera. Pourquoi tu ne lui laisserais pas sa chance ? demanda Lil. Et ne va surtout pas me dire que c'est à cause de mon travail, conclut-elle en agitant un index sous le nez d'Abby qui s'apprêtait à parler.

Abby eut la grâce de prendre une mine honteuse.

— Je suis désolée, Lil. Je t'aiderai à retrouver un emploi.

Lil paraissait moins contrariée qu'un peu plus tôt dans la soirée.

— Ne change pas de sujet, Abby. Sincèrement, qu'est-ce que tu lui reproches ?

— En plus d'avoir fouillé dans ma vie ?

— Les gens riches sont toujours étranges, rétorqua Lil en haussant les épaules. Dans un de ces magazines financiers, j'ai lu qu'il était classé parmi les cinquante personnes les plus puissantes du monde. Il faut le comprendre. Il est peut-être simplement prudent.

Les rôles étaient en train de s'inverser entre les deux sœurs – et le sourire de Lil se faisait de plus en plus malicieux.

L'un des hommes les plus puissants du monde ? Abby déglutit nerveusement.

— Je suis morte de trouille, d'accord ?

Si tu n'es pas honnête avec toi-même, sois-le au moins avec ta sœur.

— Non, sans rire ? répondit Lil en roulant des yeux.

— Tais-toi.

Gentiment chahutée, Abby s'étonna de constater que la tension qui s'invitait si souvent dans leurs discussions n'était pas là. Elle se souvint alors d'un temps, des années auparavant, où il leur arrivait de plaisanter sur ce ton au sujet des garçons.

— Donc, l'un des hommes les plus riches de la planète t'envoie une limousine demain matin et toi, tu ne veux pas monter dedans. C'est bien ça ? résuma Lil avec un air de défi.

Abby descendit de son perchoir pour reprendre le remplissage du lave-vaisselle.

— Exactement. Je vais…

— Tu vas te cacher, reprit Lil pour finir la phrase de sa sœur. Colby, poursuivit-elle en s'adressant cette fois-ci à sa fille, cela fait si longtemps que tatie Abby s'occupe de nous qu'elle a peur désormais de prendre une initiative. Il faut qu'on arrête de compter sur elle comme ça, sinon elle ne va jamais réussir à s'envoyer en l'air.

— Ne dis pas des horreurs pareilles à Colby ! s'étrangla Abby.

— Elle a cinq mois, répliqua Lil en riant. Elle ne comprend pas ce que je dis. Mais j'espère que toi tu me comprends… Sérieusement, reprit Lil en venant s'appuyer contre le plan de travail à côté de sa sœur, je ne m'en fais pas pour le boulot. Je sais que je peux retrouver quelque chose du même genre sans problème. Et puis, d'ici peu, j'aurai mon diplôme. Tu en as fait plus pour moi que quiconque aurait pu te demander, mais il est temps que tu commences un peu à vivre. Ce type m'a tout l'air d'être calibré pour passer à l'étape suivante de ta vie.

— Et c'est quoi, au juste, cette étape ? demanda Abby.

Ses mains tremblaient sous le filet d'eau. Lil passa un bras autour de ses épaules.

— Celle où tu arrêtes de jouer les parents pour simplement redevenir ma sœur.

Abby en eut les larmes aux yeux.

— J'ai été horrible à ce point-là ?

— Non, la détrompa Lil en la serrant plus étroitement. Mais c'est bon de te retrouver.

Vingt minutes plus tard, alors qu'Abby feuilletait une revue professionnelle sur la pédagogie sans parvenir à lire une seule ligne, Lil entra dans la pièce, avec le combiné du téléphone à la main. Perdue dans ses pensées, Abby n'avait pas entendu la sonnerie.

— Pour toi, dit Lil en lui tendant l'appareil avec un sourire entendu. C'est l'assistante personnelle de M. Corisi. Hmm, je me demande bien ce qu'elle peut vouloir…

— Dis-lui que je suis occupée, répondit Abby, submergée par un véritable tourbillon d'émotions.

Il n'avait pas renoncé.

Lil, qui n'était pas du genre à faire ce qu'on lui demandait, fourra l'appareil dans les mains de sa sœur.

— Dis-le-lui toi-même.

Abby fusilla sa cadette du regard.

—Toute cette histoire te plaît beaucoup trop.

—Ah, l'incomparable saveur de la vengeance…

Avec un gloussement, Lil prit place à côté d'Abby sur le divan, en spectatrice captivée et envahissante.

—Tu es sûre que ce n'est pas l'heure du bain de Colby?

—Déjà fait. Elle dort, répondit Lil, déclinant ostensiblement la perche tendue.

Peu importe.

—Allô, dit Abby sur un ton bien moins chaleureux qu'à l'ordinaire.

—Merci de prendre mon appel, mademoiselle Dartley. Je suis Marie Duhamel, l'assistante personnelle de M. Corisi.

—Oui, je sais, répondit Abby avec un soupir. Je ne veux pas me montrer désagréable, mais comme je n'ai pas l'intention de lui dire oui, je ne vois pas en quoi le fait de demander à sa secrétaire de m'appeler pourrait me faire changer d'avis?

— Son «assistante personnelle», corrigea gentiment son interlocutrice. Oui, je suis désolée de vous déranger au milieu de votre soirée, mais après toutes les épreuves que Dominic a dû traverser cette semaine, j'ai senti qu'il fallait que je fasse mon possible pour l'aider, poursuivit-elle sur le ton affable qu'aurait une aimable voisine.

—Les «épreuves»?

Voilà qui avait capté l'attention d'Abby. La jeune femme se redressa, sans s'offusquer du fait que sa sœur avait pratiquement collé son oreille de l'autre côté du combiné. Avec un soupir résigné, Abby tourna même un peu la main pour lui permettre de mieux entendre.

— Il ne vous a rien dit ? J'aurais dû m'en douter. Il n'est pas très doué pour demander de l'aide aux autres.

— Je ne vois pas de quoi vous parlez, intervint Abby, de plus en plus captivée.

Il y eut un bref instant de silence.

— Mademoiselle Dartley, Dominic vient de perdre son père. Il est revenu à Boston pour la lecture du testament.

— Oh, mon Dieu ! s'exclamèrent les deux sœurs à l'unisson. (D'un geste de la main, Abby ordonna à Lil de se taire.) Donc, demain, il voulait que je…

C'était presque trop gênant pour qu'elle puisse l'évoquer. Elle avait cru qu'il lui envoyait une limousine pour l'enlever et passer avec elle un après-midi de passion torride, tous les deux enfermés dans une suite. Or, la première intuition qu'elle avait eue à son sujet semblait bien plus proche de la vérité.

— En fait, il espérait que vous accepteriez de l'accompagner à la lecture du testament de son père, expliqua Marie Duhamel.

Le pressentiment d'Abby se trouvait amplement confirmé. Se pouvait-il qu'elle soit complètement passée à côté de la réalité de cette soirée ? Aveuglée par sa propre attirance pour lui, elle n'avait pas su voir que Dominic avait simplement besoin de compagnie pour faire son deuil.

Elle se sentait mortifiée.

Et moi qui me croyais irrésistible…

Dominic avait dû être attiré par sa tendance naturelle à materner. C'était toujours sur son épaule que venaient s'épancher ses amis quand ils avaient besoin de réconfort. Depuis le temps, elle aurait dû s'y habituer.

— Est-ce qu'il… Je veux dire, ne serait-il pas préférable qu'il choisisse quelqu'un qu'il connaît mieux, pour affronter une situation comme celle-ci?

— Ma chère, répondit la femme plus âgée d'une voix vibrante de mère s'adressant à son enfant. Dominic est un homme très occupé. Il n'a absolument pas le temps d'avoir des amis. Des associés, oui. Des gens qui veulent se glorifier d'appartenir à son cercle de relations, oui. Mais personne vers qui il puisse se tourner pour ce genre de choses.

Abby et Lil échangèrent un regard. Tout posséder et pourtant n'avoir rien – c'était si triste. La mort de leurs parents avait été un événement atroce, mais au moins elles pouvaient compter l'une sur l'autre.

— Je suis désolée pour lui, madame Duhamel, mais je n'ai fait sa connaissance qu'aujourd'hui. Je ne sais pas ce qu'il vous a raconté, mais nous ne sommes pas intimes.

—Il a simplement dit qu'il avait besoin de votre présence. Ça m'a paru suffisant.

—Il a dit ça?

Abby avait la gorge nouée. Lil faillit battre des mains, emportée par l'enthousiasme. Elle forma un cœur avec ses mains qu'elle vint poser sur sa poitrine. Abby lui assena une petite tape.

Il a besoin de moi? Alors ses paroles blessantes, ce n'était… que ça… Des paroles? Dominic venait de perdre son père et préférait ne pas affronter seul une situation douloureuse. Mieux que quiconque, elle savait quel traumatisme pouvait causer la perte d'un être cher.

—Oui, répondit Marie Duhamel. Et depuis toutes ces années que je travaille avec lui, sachez que jamais je n'ai passé le moindre coup de fil personnel pour lui.

Ainsi il souhaitait sa présence au point de mettre son assistante sur le coup. Qu'est-ce que cela signifiait?

—C'est lui qui vous a demandé de me parler de son père? demanda Abby.

Marie Duhamel réfuta cette idée d'un petit rire.

—Bien sûr que non. Je crois que j'étais censée vous appeler pour vous convaincre en usant de la menace ou de Dieu sait quelle baguette magique. Tout ce qu'il m'a dit, c'est qu'il avait la certitude que si quelqu'un pouvait vous persuader, c'était moi. Je suis flattée de la confiance qu'il me manifeste, mais je pense que votre décision dépend plus de votre compassion que de mes qualités supposées.

— N'en soyez pas si sûre, murmura Lil.

Abby lui fit signe de se taire. Lil haussa les épaules et marmonna un aparté en montrant le téléphone de l'index.

— Quoi ? Elle est super forte !

C'est le moins qu'on puisse dire ! Avec sa voix de velours, Marie Duhamel présentait les choses de telle sorte que le fait de donner une suite favorable à l'extravagante demande de Dominic Corisi revenait à faire une bonne action – et non plus à se jeter dans la gueule du loup.

— Je me rends compte que Dominic vous a dit que la limousine passerait à 11 heures. Mais si c'était possible, je préférerais vous prendre à 7 heures, pour vous offrir une matinée de détente dans un centre de soins et d'esthétique et procéder à quelques achats.

De mieux en mieux. D'abord je suis grosse, et voilà que j'ai besoin d'un ravalement.

— Vous direz à votre patron que si je ne suis pas bien telle que je suis…

— Oh non ! la coupa Marie Duhamel. Dominic n'y est pour rien. C'est juste moi qui me suis dit que si je devais assister à la lecture d'un testament portant sur une succession de plusieurs millions de dollars, j'aurais envie de me pomponner un peu d'abord.

Waouh. Dit comme ça, Abby ne pouvait qu'être d'accord.

— Madame Duhamel, vous êtes adorable.

— Je ne fais que mon travail, répondit-elle avec un petit rire léger. Et appelez-moi Marie, je vous en prie.

Abby avait dans l'idée que les choses allaient un peu au-delà du travail. De toute évidence, cette femme était très attachée à Dominic.

— D'accord, mais appelez-moi Abby. Et ne prenez pas mal ce que je vais vous dire, mais vous ne donnez pas l'impression d'être l'assistante de Dominic. Vous êtes tellement… gentille.

— Ne vous fiez pas à votre première impression pour vous forger une opinion sur Dominic, répondit Marie Duhamel d'un ton qui avait repris ses accents maternels. Il gagne vraiment à être connu. Mon mari travaillait pour lui lorsque Dominic a monté son entreprise, mais il est décédé avant qu'elle décolle vraiment. Stan était un bon mari, mais pas très doué pour les affaires. Il est mort voilà sept ans, en me laissant criblée de dettes. J'avais la cinquantaine bien tassée, pas un sou vaillant et aucun diplôme. En désespoir de cause, j'ai appelé Dominic en espérant qu'il n'ait pas oublié mon mari. Je ne me suis pas trompée. Il m'a dit que Stan était un brave homme et il m'a embauchée comme assistante le jour même. Depuis, je ne l'ai plus quitté.

Abby et sa sœur échangèrent un regard. Dominic n'avait peut-être pas si mauvais fond puisqu'il avait pris sous son aile la veuve d'un ancien employé. Pourquoi diable Abby se montrait-elle si réticente à son égard ?

Elle avait envie d'y aller autant que lui-même avait envie qu'elle soit là. Et si sa sœur avait raison ? Et si l'heure était venue pour elle de se défaire de son rôle de grande sœur responsable pour s'autoriser à vivre pleinement cette aventure ?

— D'accord, dit Abby d'une voix tremblante. Je viendrai.

— C'est fantastique, répondit Marie Duhamel. Et maintenant, reposez-vous. Je passe vous prendre demain matin à 7 heures.

— Vous êtes bien sûre, hein ? demanda encore Abby avant de raccrocher ? Il doit pourtant bien y avoir quelqu'un d'autre qu'il…

Marie s'empressa de la rassurer.

— Ne vous posez pas autant de questions. Allons-y doucement. Pour l'heure, concentrez-vous sur le fait que vous allez vous faire tellement bichonner demain que ça dépassera vos rêves les plus fous.

— Ça a l'air bien.

— Et le mot est faible, Abby ! À demain matin, 7 heures.

Lil se laissa aller contre le dossier du canapé, tandis qu'Abby, totalement déconcertée, allait replacer le combiné sur son socle mural.

— Si tu veux mon avis, Abby, je pense que tu as fait le bon choix.

— À dire vrai, c'est plutôt ça qui m'inquiète, répondit-elle dans un sourire.

Lil lança un petit coussin qu'Abby esquiva adroitement en riant. Peu importe ce que le lendemain avait à offrir, la situation des deux sœurs était déjà infiniment préférable à ce qu'elle avait été par le passé.

Chapitre 6

En fin de matinée, Abby se tenait debout devant l'immense miroir en pied de la cabine d'essayage d'une boutique de luxe. Dès son arrivée, les portes avaient été fermées à toute autre clientèle. Elle se reconnaissait à peine. Ses boucles brunes avaient été lissées en une succession de vagues élégantes encadrant son visage désormais exempt du moindre défaut. Jamais ses yeux n'avaient paru si immenses – et son nez si mutin. Abby s'était toujours considérée comme jolie sans plus, mais Marie avait dit vrai : tous ces soins lui avaient apporté un degré supplémentaire de confiance en elle-même. Elle se sentait radieuse.

Et en toute sincérité, dans le reflet du miroir, Abby pouvait aussi voir l'étincelle que l'excitation allumait dans ses yeux. Elle aurait pu se dire qu'elle ne faisait que se préparer pour le rendez-vous dans le bureau de l'avocat, mais au fond d'elle-même elle savait qu'elle espérait de tout son être n'avoir pas été le jouet d'une chimère en imaginant les élans de Dominic à son égard. Au simple souvenir de son cœur emballé devant le regard émoustillé du jeune homme,

Abby sentit tout son corps s'embraser. Les mains de Dominic sauraient-elles communiquer une même impression de désir impérieux et indomptable ?

Est-ce qu'un espoir aussi immense pouvait durer au-delà d'une journée ?

La robe bustier noire qu'on lui avait passée épousait chacune de ses courbes, sans plus rien laisser à l'imagination. Discrète en apparence sur le présentoir, elle lui faisait en fait un décolleté bien trop profond pour paraître en public. En l'état, le tissu parvenait tout juste à dissimuler les effets de la grande émotion d'Abby.

— Marie, celle-ci est trop sexy pour moi. Si j'essayais quelque chose de plus ample, avec des manches ?

— Faites voir.

La voix masculine qui venait de lui répondre n'était sûrement pas celle de Marie.

Dominic ! Abby se sentit suffoquer. Elle posa une main sur son décolleté et, de l'autre, saisit la poignée de la porte.

— N'entrez pas ! ordonna Abby. Et d'abord, qu'est-ce que vous faites ici ?

Depuis l'intérieur de la cabine, Abby entendit quelques mouvements feutrés dans la boutique, puis la porte d'entrée qui se refermait.

— Je viens voir où vous en êtes. Si vous vous dépêchez, nous aurons le temps de déjeuner avant la réunion.

— La robe ne me va pas, mentit Abby.

Elle voulait qu'il la trouve jolie et qu'il soit séduit. Pas qu'il ait de nouveau envie de lui proposer de l'argent.

—Il faudrait que Marie m'en trouve une autre.

—Faites voir.

—Non.

—Vous avez peur ?

—Vous croyez m'avoir en me mettant au défi ? C'est une technique d'adolescent.

—Faites voir.

—Elle ne convient pas pour aujourd'hui. Demandez à Marie de me passer la robe bleu foncé que nous avons regardée ensemble.

—Je le ferai. Lorsque vous m'aurez montré.

En se fondant sur le bruit d'une chaise tirée devant la cabine, on pouvait légitimement penser que Dominic avait l'intention de ne plus bouger.

Abby relâcha la poignée de la porte et se redressa bravement – ce qui eut pour effet de faire plonger encore un peu plus le bustier. Sa tenue était vraiment à la limite de la décence, mais puisqu'il tenait tant à la voir, eh bien, elle allait lui permettre de se rincer l'œil.

En voyant la réaction de Dominic devant sa tenue de vamp, Abby aurait dû sentir monter en flèche sa confiance en elle-même. Les bras qu'il tenait croisés sur son torse retombèrent sans force le long de son corps, et sa mâchoire parut se détacher. Seulement, il n'avait plus rien de l'homme chiffonné de la veille. Son costume anthracite à la coupe impeccable paraissait avoir été taillé directement sur lui, et ses cheveux naguère en bataille étaient ordonnés en une coupe stricte et parfaite. Tout en lui clamait la puissance et l'argent.

On ne joue pas dans la même catégorie et je ne suis pas à la hauteur. Le désir qu'Abby avait eu de tournoyer joyeusement devant lui se volatilisa. Au lieu de cela, elle écarta les bras en un geste un peu gauche.

— Vous voyez. Je vous avais dit qu'elle ne convenait pas.

— Vous aviez raison, acquiesça-t-il d'une voix rauque, en se levant de sa chaise avec une vivacité de grand fauve.

Après l'avoir scrutée à nouveau, Dominic afficha une mine étonnamment critique.

— On ne voit plus vos taches de rousseur, fit-il remarquer sur un ton de reproche.

Un soupir irrité souleva la poitrine d'Abby.

— Normalement, vous êtes censé me dire que je suis magnifique, déclara-t-elle en posant les mains sur ses hanches.

Il l'attira contre lui, l'obligeant à lever la tête pour le voir.

— Vous savez que vous l'êtes.

Il posa ses lèvres sur celles de la jeune femme, avant de remonter vers son oreille.

— Je me ferai une joie de retirer tout ce fond de teint tout à l'heure, murmura-t-il.

Elle se raidit entre ses bras.

— Monsieur Corisi…

Il lui déposa un baiser au creux du cou.

— Appelez-moi par mon prénom.

— Dominic, je ne suis pas venue pour ça.

— Juste mon prénom, ordonna-t-il en mordillant le lobe d'Abby. Dites-le.

— Dominic, dit-elle dans un souffle.

Bon, d'accord. Elle était peut-être aussi un peu venue pour ça.

— Hmm, gémit-il en allant embrasser la courbe dénudée de l'épaule.

Dominic glissa sa main droite sous le court volant de la robe, et la plaqua ensuite sur une fesse d'Abby pour la serrer plus fort.

Elle s'abandonna contre lui et oublia complètement où elle se trouvait. Elle s'accrocha aux épaules de Dominic, dont les baisers descendaient vers l'endroit où le tissu rencontrait la peau. En quelques pas, il la mena contre le mur. La main droite de Dominic s'avança encore jusqu'au tissu devenu moite qui lui barrait le passage. Peu lui importait l'obstacle, apparemment. Il la caressa à travers la soie et Abby se cambra. Un téton jaillit du bustier et Dominic fondit dessus.

Ses gestes n'étaient pas ceux d'un garçon empressé. Au contraire, ses caresses patientes et expertes étaient la promesse d'un plaisir complet pour eux deux.

Un coup frappé à la porte les interrompit – et la voix de Marie leur parvint.

— La robe vous va-t-elle ? Voulez-vous essayer la bleue ?

Dominic gémit dans le cou d'Abby. Lentement, il rabattit le bas de la robe et rajusta le bustier.

— Pas maintenant, gronda-t-il.

Marie Duhamel poursuivit comme si elle n'avait rien entendu.

— Si vous voulez déjeuner, il va falloir vous presser. Abby a encore deux essayages.

— Oh, mon Dieu ! Elle sait ce que nous faisons, dit la jeune femme, les joues empourprées.

Dominic lui prit doucement le visage entre ses mains en coupe.

— Et elle a décidé que nous avions besoin d'un chaperon, répondit-il, avant de l'embrasser longuement – jusqu'à ce que le désir la fasse de nouveau frissonner.

Pour finir, il caressa de ses lèvres celles de la jeune femme et posa sa joue contre ses boucles. Il l'enveloppa doucement de ses bras, avec une telle tendresse que personne n'aurait pu croire qu'ils s'étaient rencontrés la veille. Pendant un instant, il n'y eut plus dans la cabine que le son de leurs souffles haletants – et le bruit du cœur de Dominic battant la chamade contre l'oreille d'Abby. Puis Dominic prit une grande inspiration et recula d'un pas.

— Et elle a peut-être raison. Pour l'instant.

Il ouvrit ensuite à son assistante – qu'il gratifia d'un sourire penaud de petit garçon pris en faute.

— Elle est à vous, Duhamel. Et vous avez raison. Il faut que nous soyons partis dans dix minutes tout au plus et elle ne peut pas porter cette robe.

Marie entra dans la cabine en se comportant exactement comme si son arrivée n'avait rien interrompu. Juste avant de refermer la porte, Dominic donna une ultime instruction.

— Veillez tout de même à ce qu'elle soit ajoutée aux autres achats.

Son clin d'œil juste avant que la porte se referme était sans doute la chose la plus affolante qu'Abby ait jamais vue. Elle s'affala en arrière contre le mur recouvert de miroirs. Marie arrivait avec quelques robes posées sur un bras.

— Nous ne… je veux dire, rien…, marmonna Abby.

— Vous n'avez rien à expliquer, répondit Marie avec un petit geste de sa main libre.

— Mais je ne veux pas que vous pensiez…

— Ce que je pense, Abby, c'est que vous allez faire du bien à Dominic.

Abby était sûre et certaine que ses joues n'auraient pu être plus rouges.

— Je sais. Je sais, reprit Marie à la hâte. J'aurais dû me taire. Ce ne sont pas mes affaires, mais je vous apprécie beaucoup. Tenez, passez ça avant que Dominic n'use la moquette à force d'aller et venir devant la porte, poursuivit-elle en tendant à Abby une robe bleue infiniment plus classique.

Abby se demanda si Dominic savait la chance qu'il avait d'avoir Marie à ses côtés. Dans un élan spontané, elle serra la vieille dame dans ses bras avant de prendre la robe.

—Allons, allons, ne me prenez pas par les sentiments, dit Marie en rajustant son corsage.

Mais ses paroles ne parvenaient pas à masquer l'expression enchantée sur son visage.

Chapitre 7

L'heure n'était plus au badinage. Abby prit place à côté de Dominic sur un sofa en cuir sombre, dans un coin de l'immense salle de réunion de l'avocat, aux murs tapissés de bibliothèques. Elle avait envie de lui prendre la main. Elle s'abstint néanmoins pour poser ses mains croisées sur ses genoux. Abby ne s'y connaissait guère en antiquités, mais le vase à côté d'elle lui paraissait très ancien – et sa valeur devait représenter dix années de son salaire. À la boutique, elle avait parfaitement saisi ce que Dominic voulait d'elle ; là, dans ce monde différent, elle ne savait pas vraiment quel rôle elle était censée jouer.

Un homme mûr, au crâne presque entièrement dégarni, fit son entrée. Il ralentit un instant sa démarche désinvolte, juste assez pour trahir sa surprise de découvrir que Dominic n'était pas seul. Puis il se ressaisit et, avec un hochement de tête qui pouvait sembler destiné à lui-même, il s'adressa à eux en s'avançant.

Dominic se leva, sans pour autant lui tendre la main.

— Dominic, dit l'homme, sans paraître s'offusquer de l'accueil glacé.

Dominic se hérissa de sa familiarité.

— Thomas.

— Cela fait longtemps, ajouta l'homme en allant ramasser quelques papiers sur son bureau, avant de s'installer dans un fauteuil de cuir en face d'eux.

— Pas assez à mon goût.

— Toujours fâché à ce que je vois, répondit-il avec une note de regret dans le ton.

— Je ne suis pas venu pour ressasser le passé. Où est ma sœur ?

Dominic marchait de long en large dans la pièce, faisant régner une tension palpable.

— Sa voiture vient d'arriver.

Le regard de Thomas passa de Dominic à Abby. La jeune femme se leva et serra la main qu'il lui tendait.

— Thomas Brogos, se présenta-t-il. L'avocat de la famille depuis bien longtemps.

— Abby Dartley, répondit-elle.

Et comme elle ne savait pas comment se qualifier, elle en resta là.

Il garda sa main dans la sienne, comme s'il attendait encore quelque chose.

— Secrétaire ? demanda-t-il au bout d'un moment.

— Professeur, rectifia-t-elle en retirant sa main.

Elle se tourna vers le profil dur et crispé de Dominic, tendu comme un ressort. Sous l'effet de la colère, ses lèvres qui l'avaient embrassée une heure plus tôt, se changèrent en une fente mince.

— Intéressant, fit remarquer Thomas.

Son regard allait d'Abby à Dominic. Il parut sur le point de poser une autre question, mais Dominic arrêta de faire les cent pas et le contraignit au silence d'un simple haussement de sourcils. C'était un usage bien subtil du langage du corps pour quelqu'un qui donnait l'impression de vouloir frapper son prochain.

— Asseyez-vous, je vous en prie, dit Thomas.

Dominic reprit place à côté d'Abby et posa une main sur le genou de la jeune femme. Un autre message – et une manière de couper court aux questions.

Sur un hochement de tête entendu, l'avocat ouvrit son dossier et commença à ranger ses papiers en piles sur la table basse devant eux.

Une femme, grande et mince, s'engouffra dans la pièce tel un courant d'air. Les deux hommes se levèrent instantanément. Abby en fit autant une seconde plus tard, toujours incertaine quant à la conduite qu'elle devait tenir dans cette affaire.

La nouvelle arrivée salua chaleureusement l'avocat, puis s'assit avec raideur dans le dernier fauteuil libre. Le coup d'œil qu'elle lança à Dominic fit chuter la température de la pièce d'une dizaine de degrés. La ressemblance entre eux deux était saisissante, de sorte qu'il n'y avait guère à s'interroger sur leur lien de parenté. La sœur de Dominic portait ses cheveux noirs tirés en arrière, ce qui accentuait encore leur trait commun le plus frappant : leurs yeux gris perçants. Elle portait une version féminine du costume symbole de pouvoir de son frère, avec des chaussures toutes simples – mais hors de prix – et un maquillage léger à peine visible. C'était une femme d'une beauté étonnante, désireuse de marquer les esprits par ses idées bien plus que par son allure.

— Nicole, dit Dominic.

Sans quitter sa sœur du regard, il invita Abby à reprendre place sur le divan. Il s'assit à côté d'elle, mais il donnait l'impression d'être à des années-lumière de là. Une nouvelle fois, Abby se demanda en quoi sa présence pouvait lui être utile. Un homme comme lui n'avait pas besoin d'être rassuré. Il n'était pas de ceux qui avaient besoin de quelque chose ou de quelqu'un.

— Pouvons-nous en finir avec tout ça ? cracha la jeune femme.

Abby sentit Dominic se raidir. Thomas se racla la gorge et déposa deux documents sur la table.

— Le testament de votre père vous surprendra sans doute tous les deux.

Dominic émit un grognement incrédule, avant de se laisser aller contre le dossier et d'étendre ses jambes devant lui. Les bras croisés, il affecta une posture détendue, néanmoins insuffisante pour masquer la tension qui émanait de lui. Personne ne sembla impressionné.

— Venons-en au fait, dit-il d'un ton dur.

— Oui, dites-nous vite, gronda Nicole, avant de se tourner vers son frère. Pour que le grand Dominic Corisi puisse retourner à son propre empire. Tu n'as pu assister ni à la veillée funèbre ni à l'enterrement.

C'est à se demander comment tu as pu nous caser dans ton agenda surbooké.

— J'étais à l'étranger, objecta Dominic, tout à coup mal à l'aise.

Thomas tapota le document de la pointe de son stylo.

— Si vous cessez de vous chamailler, je pourrai commencer.

Sans rien dire, Dominic se rassit correctement, les muscles crispés par le ton de l'homme de loi. Nicole se trémoussa dans son fauteuil, comme une gamine à qui on vient de dire de se calmer. Elle aussi tint sa langue. Le frère et la sœur se concentrèrent sur Thomas. Abby s'interrogea sur la nature exacte de leurs relations – Thomas Brogos étant à l'évidence bien plus que l'avocat de la famille.

— Votre père a modifié ses dispositions testamentaires l'an passé, après sa première crise cardiaque, commença Thomas sur un ton affable.

— Sa première ? s'étonna Dominic. J'ignorais qu'il était malade.

— Je vois mal comment tu aurais pu le savoir, persifla Nicole.

L'avocat poursuivit sans se départir de son calme et son professionnalisme.

— Il a décidé de léguer ses propriétés et son entreprise, Corisi Ltd, représentant une valeur nette d'environ trente millions, en totalité à Nicole.

— Avoir fait tout ce chemin pour s'entendre dire ça…, railla Dominic.

D'un geste nerveux, Thomas rajusta son nœud de cravate.

— Le codicille apporté stipule néanmoins que Dominic doit occuper le poste de président de la société pendant une durée d'au moins une année. Si vous refusez, Dominic, l'héritage de votre sœur sera versé à un fonds en fidéicommis à l'intention de différentes œuvres caritatives.

— C'est une plaisanterie! s'exclama Nicole en bondissant de son fauteuil. Papa et Dominic ne s'étaient pas parlé depuis plus de dix ans. Pourquoi lui aurait-il confié quoi que ce soit?

— Corisi Ltd est au bord de la faillite, expliqua l'avocat devenu blême. Et votre père ne vous jugeait pas en mesure de corriger la situation, Nicole, dans la mesure où vous n'avez jamais pris part à la marche de l'entreprise.

Apparemment sur le point de s'effondrer, la jeune femme dut s'agripper au dossier de son fauteuil.

— C'est parce qu'il ne m'a jamais laissé faire, objecta-t-elle dans un murmure, en essuyant une larme qui roulait sur sa joue. Comment a-t-il pu me faire ça? J'ai obtenu mon MBA, j'ai travaillé dans le même secteur. Il savait que j'étais prête pour ce jour. Je connais nos concurrents encore mieux qu'il ne les connaissait.

Dominic se leva à son tour.

— Nicole…

—Oh, comme tu dois jubiler, le coupa sa sœur, un doigt pointé sur lui. Tout d'abord, tu détruis l'entreprise et ensuite tu joues au héros, c'est ça ? Mais pas question ! Je n'ai pas survécu à un dictateur pour être livrée à un autre. Vous aurez des nouvelles de mes avocats, conclut-elle en se tournant vers Thomas.

Abby se leva en voyant Dominic devenir pâle comme un linge. Elle lui prit la main et ce geste parut porter la fureur de Nicole à son comble.

—J'ignore qui vous êtes, dit la sœur outragée à Abby, mais il est dans votre intérêt que mon frère se débarrasse de vous et j'espère qu'il le fera. Les mâles de la famille Corisi n'aiment pas. Ils possèdent. Partez tant qu'il vous reste un semblant d'estime de vous-même. Fuyez avant qu'il ne vous écrase.

Abby sentit Dominic se raidir, mais elle n'en serra sa main que plus fort. Elle devinait les années de souffrances infligées de part et d'autre, et se sentait infiniment triste de ne pas savoir comment les aider à les surmonter.

—Mes avocats vont examiner ce testament, déclara Dominic d'un ton laconique.

Tremblante de fureur, Nicole s'empara de son sac à main et se dirigea vers la porte.

—C'est un peu court, Dominic. Et surtout, ça arrive après la bataille. Tu n'es pas le seul à pouvoir compter sur des amis puissants. Mes avocats vous contacteront demain, Thomas.

Sur ces paroles, elle sortit en claquant la porte derrière elle.

Lorsqu'elle fut partie, Dominic esquissa un geste un peu théâtral.

— Abby, voici ma sœur Nicole. Nicole, je te présente Abby, lança-t-il sur un ton moqueur.

La jeune femme se sentait le cœur gros pour lui.

— Vous devriez la rattraper, dit-elle.

— J'aurais dû le faire il y a quinze ans, à présent il est trop tard, répondit-il comme pour lui-même.

— Elle ne trouvera aucune faille, intervint Thomas. Vous devriez l'aider à stabiliser la situation de l'entreprise, Dominic. D'autant que c'est vous qui l'avez conduite là où elle en est. Vous lui devez bien ça.

— Vous l'avez entendue. Elle ne veut pas de mon aide.

Il serra encore plus fort la main d'Abby. La jeune femme ne dit rien ; c'était pour ça aussi qu'elle était venue.

— Vous la laisseriez tout perdre ? demanda Thomas sur un ton signifiant que seule la plus vile des créatures ferait une chose pareille.

— Je ne vais pas l'aider à sauver l'entreprise paternelle. S'il n'y a aucun moyen de faire annuler le testament, je donnerai de l'argent à Nicole. Mais pas question que mon père finisse par l'emporter juste parce que…

— J'imagine que la vie est un éternel recommencement, dit Thomas en secouant la tête. Faites ce que vous voulez, Dominic, mais sachez que votre père n'était animé que des meilleures intentions lorsqu'il a pris sa décision.

L'avocat ramassa ses papiers, gratifia Abby d'un hochement de tête poli, puis tendit une copie du testament à Dominic.

—Montrez ça à vos avocats, mon garçon. Vous reviendrez me voir ensuite.

Malgré ses réticences évidentes, Dominic prit la liasse de documents. Puis, au pas de charge, il entraîna Abby derrière lui vers la sortie.

—Je ne reviendrai pas, lança-t-il encore par-dessus son épaule.

—Dans ce cas, je sais ce qui arrivera, répliqua Thomas depuis le seuil de son bureau.

Furieux, Dominic s'arrêta net devant la porte menant à la rue, pour lancer un regard noir au vieil homme. Abby faillit le percuter. Elle aurait bien retiré sa main de celle de Dominic, mais tout à son affaire, le jeune homme ne relâchait absolument pas sa poigne de fer.

— Et qu'est-ce qui arrivera ? grinça Dominic.

Thomas prit le temps de rajuster ses lunettes sur son nez.

—Vous serez définitivement devenu votre père, répondit l'avocat.

Chapitre 8

Ce n'est qu'une fois arrivé dans la limousine que Dominic s'aperçut qu'il serrait toujours la main d'Abby dans la sienne. La pauvre, il avait dû la tirer derrière lui dans les couloirs et le hall lorsqu'il avait joué sa sortie à sensation. Il la relâcha – avec plus de regrets qu'il n'aurait aimé.

Puis il se prépara à subir l'assaut verbal qui n'allait pas manquer d'arriver – et qu'au demeurant il avait bien mérité. Quel genre d'idiot invite une femme qu'il connaît à peine à venir partager l'un des pires moments de son existence ? Elle avait toutes les raisons du monde de l'agonir d'insultes.

Abby demeurait silencieuse à ses côtés. Et c'était encore plus douloureux que la pire des raclées.

Il aurait voulu qu'elle dise ce qu'elle avait sur le cœur et qu'ils n'en parlent plus. Il était un être humain particulièrement horrible ; il le savait. *Un fils de la pire espèce, un frère bien décevant et, de façon générale, un monstre assoiffé d'argent.*

Si Abby était avec lui, c'était uniquement parce qu'il avait menacé de faire renvoyer sa sœur. Tout multimilliardaire qu'il était, il n'avait pas hésité à exercer des pressions sur une simple enseignante. *Tout est dit.*

Était-ce pour cette raison qu'elle se taisait ? Était-elle en train de réfléchir à un moyen de quitter cette voiture sans encourir sa colère ? Pendant les années où il avait édifié son empire financier, il avait enfreint son code moral bien plus souvent qu'il ne voulait l'admettre. Pour autant, cette journée établissait un nouveau record.

Si au moins elle me le disait.

— Où allons-nous, monsieur ? s'enquit le chauffeur.

— Nous avons des courses à faire, répondit Abby en prenant Dominic de court. Il y a un centre commercial dans la ville de North Attleboro.

Stupéfait, Dominic se tourna vers la jeune femme. Si Abby n'avait pas été Abby, il aurait pensé qu'elle n'avait pas bien compris le fil des événements, égarée par une perception exagérément positive d'elle-même. Cependant, ses yeux aux reflets ambrés débordaient de compassion – un sentiment que Dominic ne méritait pas et qu'il ne tenait pas à ce qu'on lui manifeste.

— Il est temps pour moi de rentrer à New York, dit-il au chauffeur. Ramenez mademoiselle Dartley chez elle. Et arrêtez-vous au centre commercial si le cœur lui en dit. Vous rajouterez ses achats sur ma note. Faites venir une autre limousine pour me conduire à l'aéroport.

— Attendez ! s'exclama Abby.

Le chauffeur hésita – ce qui offrit enfin un prétexte à la colère de Dominic.

— Si vous tenez à votre boulot, faites ce que je dis.

Le chauffeur s'exécuta.

— Ce n'est qu'un tout petit centre commercial, objecta Abby sur un ton de défi.

— Je ne suis pas d'humeur à courir les boutiques, répliqua Dominic en se redressant contre le dossier.

— Vous avez peur ?

Abby avait parlé si doucement que Dominic faillit ne pas l'entendre. Il tourna brusquement la tête. Une lueur espiègle brillait dans les yeux de sa jolie petite prof.

— Non. Ça ne m'intéresse pas, mentit-il.

Chaque fois qu'elle le surprenait, il semblait plus fasciné.

Abby croisa tout doucement les jambes, pleinement consciente d'avoir de nouveau capté son attention. Elle posa ensuite les mains sur son genou exposé et laissa théâtralement filer un soupir digne d'une actrice.

— Alors vous ne saurez jamais où je comptais vous emmener après notre détour au centre commercial.

À cet instant, aucun homme n'aurait pu lui résister. Elle était l'incarnation de la tentatrice absolue. Dominic se pencha vers elle.

— Pourquoi ne pas m'y emmener maintenant ?

D'un petit haussement d'épaules, elle lui signifia que sa chance était passée. Il tendit les bras pour l'attraper et la faire venir sur ses genoux, mais elle fuit.

— Nous ne sommes pas habillés pour l'endroit auquel je pense.

— Parce que les vêtements sont nécessaires ? demanda-t-il en se rapprochant.

— Affirmatif, répondit-elle.

Le rire clair de la jeune femme fit grimper en flèche la tension artérielle de Dominic, menaçant de crever le plafond de la voiture.

Oublie ton avion. Il ordonna au chauffeur d'annuler l'autre limousine pour les conduire à North Attleboro. Voilà une fusion qu'il n'avait pas l'intention de manquer…

Abby refusa de commencer à douter d'elle-même. Si elle ne voulait pas que revienne entre eux cette tension sexuelle si intense qu'elle en était palpable, elle n'avait qu'à accepter la proposition de Dominic de mettre un terme à leur journée. Il l'aurait laissée partir – et elle ne l'aurait probablement jamais revu.

Le problème, c'est qu'elle ne voulait pas que cette journée s'arrête. La veille, il n'était encore qu'un fantasme en deux dimensions, sublime et incroyablement arrogant.

Depuis, il était aussi devenu un homme de chair et de sang. Un homme tourmenté, qui avait fui le calvaire imposé par un père tyrannique pour se retrouver prisonnier d'un sentiment de culpabilité encore plus douloureux.

Il voulait fuir, et Abby ne connaissait que trop bien ce sentiment. Elle avait passé l'essentiel de sa vie d'adulte à fuir le chagrin de la disparition de ses parents. Certes, elle n'avait pas embarqué dans un avion pour s'envoler au loin, mais elle s'était émotionnellement mise à distance d'elle-même, s'éloignant de ce qu'elle avait été au point de ne plus savoir qui elle était encore.

Elle n'avait rien de commun avec cette façade stricte, bien comme il faut, un peu grippe-sou et collet monté derrière laquelle elle se cachait depuis tant d'années. Pas étonnant que Lil se soit rebellée. Abby avait tout fait pour contraindre sa sœur à fuir la vie comme elle le faisait elle-même, convaincue que si l'une d'elles faisait un écart, la tragédie les frapperait de nouveau.

Dominic était aux prises avec ses propres démons émotionnels. En surface, il avait l'apparence d'un homme qui n'a besoin de rien ni de personne. Mais en s'accrochant à la main d'Abby, il lui avait révélé l'homme caché.

Leur rencontre était tout aussi grisante que terri-fiante. Dominic lui avait proposé de mettre un terme à l'aventure – mais quelque chose soufflait à Abby qu'ils étaient faits pour se rencontrer. En sa compagnie, elle apprenait des choses sur elle-même ; elle espérait qu'à un certain niveau elle lui faisait le même cadeau.

Un plan prenait forme dans l'esprit d'Abby pour le reste de la journée. Une idée venue sous le coup d'une impulsion et qu'elle aurait rejetée la semaine précédente. Ce jour-là, elle acceptait tous les possibles. Lil avait dit vrai. Il était temps pour elle de recommencer à vivre.

La limousine se gara sur le parking du centre commercial.

— Il s'agit d'une course, annonça Abby en prenant son sac. Le premier revenu à la voiture habillé en jean, tee-shirt et baskets a gagné.

Tout le sérieux et la gravité de la journée se volatilisèrent d'un coup. Dominic afficha un sourire de prédateur.

— Et qu'est-ce que je vais gagner au juste ?

Excès de confiance de milliardaire, songea Abby – non sans un brin de suffisance. Il régnait peut-être sur le monde des affaires, mais en matière de shopping ça ne devait pas être la même chose. Elle doutait qu'il ait jamais eu à acheter lui-même ses vêtements. Cette seule activité allait lui faire perdre du temps.

— Le vainqueur choisit ce que nous faisons du reste de la journée, déclara-t-elle.

Les yeux de Dominic s'illuminèrent.

— Ça me plaît, conclut-il. Je sais exactement où je vais vous emmener.

Et sans lui laisser le temps d'élaborer une stratégie, Abby ouvrit la portière pour s'élancer sur le trottoir.

— Moi aussi ! cria-t-elle par-dessus son épaule.

À son retour, Dominic ouvrit la portière arrière à la volée, avant même que le chauffeur ait réussi à s'extraire de derrière le volant pour le faire à sa place. Le sourire triomphant d'Abby lui arracha un grognement de dépit. Elle avait déjà donné ses instructions au chauffeur sur leur prochaine destination, et elle savourait chaque seconde de sa victoire.

Par chance, elle était précisément venue dans cet endroit quelques jours plus tôt, et avait essayé un très joli jean de créateur, hors de prix mais qui épousait ses formes comme s'il avait été cousu sur elle. Elle avait renoncé à l'acheter à sa première visite, mais cette fois-ci, elle n'hésita pas une seule seconde en le prenant sur le portant. Elle avait ajouté à cela un tee-shirt bordeaux à col en V, qui lui faisait un décolleté suffisant pour attirer à elle tous les regards, puis elle s'était mise en quête de sa marque de baskets préférée. Elle était non seulement déterminée à remporter cette course, mais aussi à finir en beauté.

Dominic se glissa à sa place, à l'évidence fort agacé de ce résultat.

— C'est incroyable! L'argent ne peut rien pour augmenter le QI d'un vendeur encore adolescent? Mais c'est quoi ce magasin où les clients n'ont pas accès à des commis de plus de vingt ans?

— Soyez beau perdant, Dominic. Vous n'aviez pas la moindre chance.

En un geste faussement compatissant, Abby lui tapota le genou – avant de retirer vivement sa main tant ce simple contact suffisait à la faire se consumer de désir. Si elle avait cru qu'il serait moins attirant en tenue décontractée, elle avait commis une grave erreur. Le tee-shirt de coton bleu foncé qu'il portait mettait en valeur son torse athlétique et son ventre plat.

Dominic attrapa la main d'Abby pour la reposer sur sa cuisse en la maintenant fermement en place.

— Pourquoi est-ce que j'ai l'impression que vous avez triché ?

Elle laissa filer un soupir tremblant. Elle avait bien du mal à ne pas oublier ses motivations altruistes lorsque ses pensées étaient focalisées sur les réactions de son corps au contact de celui de Dominic. Elle ressentit comme un papillonnement au creux de son estomac – une sensation qui se produisait chaque fois que Dominic était près d'elle.

— Vous qui êtes un homme d'affaires, vous n'utilisez jamais un avantage naturel pour l'emporter ?

Il fit glisser la main d'Abby sur sa cuisse, de quelques centimètres vers le haut. Leurs souffles s'accélèrent à l'unisson.

— Lorsqu'il s'agit de gagner, il y a peu de choses que je ne ferais pas.

Il se pencha sur elle, presque assez près pour l'embrasser, mais s'arrêta juste avant que leurs lèvres se rencontrent, comme s'il débattait d'une question en son for intérieur.

— On dirait que vous essayez de me mettre en garde.

Il relâcha la main d'Abby, se tourna vers elle et, sans effort apparent, la souleva et la fit pivoter pour venir l'asseoir à califourchon sur lui.

— Vous avez fait votre choix, il y a une heure. N'allez pas croire que je parle d'autre chose, dit-il en posant ses mains sur les hanches d'Abby. Et n'imaginez pas non plus que vous pouvez changer d'avis.

Elle s'installa sur lui et secoua la tête pour dégager ses cheveux sur ses épaules.

— Encore des menaces. Vous savez ce qu'on dit au sujet des mouches et du vinaigre ?

— Ce n'est pas mon adage préféré. Ça ne l'a jamais été. Si vous êtes là, c'est parce que j'ai menacé l'emploi de votre sœur.

Dominic remonta sa main droite, jusqu'à ce que son pouce soit presque au contact de l'amorce du galbe du sein d'Abby.

Abby faillit rire, mais en baissant les yeux sur lui, elle vit qu'il parlait sérieusement. Elle posa une main rassurante sur l'une des épaules musclées de Dominic.

— Est-ce que j'ai l'air d'une femme que vous contraigniez par le chantage ?

Une tempête déferla dans les yeux gris de Dominic qui virèrent au noir.

— Non. Mais vous avez l'air d'une femme qui devrait fuir un homme comme moi.

Il y avait une telle expression de douleur sur son visage que, dans un élan spontané, Abby se pencha sur lui pour déposer un baiser sur son front.

— Je ne suis pas inquiète, souffla-t-elle dans un murmure.

Dominic la redressa doucement pour scruter son visage.

— Vous devriez pourtant vous faire du souci, dit-il en faisant basculer les hanches de la jeune femme vers l'avant de façon qu'elle prenne la mesure de son trouble à travers la toile de leurs jeans.

Bien plus effrontée que de coutume, Abby ondula contre lui, savourant la délicieuse raideur qu'elle sentait dans les cuisses du jeune homme. Dominic raffermit sa prise sur les hanches d'Abby pour la faire cesser – il ne répondait plus de rien si elle continuait ainsi.

— Vous aussi.

Dominic posa une main sur la nuque d'Abby et l'attira à lui pour l'embrasser. La jeune femme goûta avidement la bouche offerte. Tout le monde a droit à une nuit dont le simple souvenir fait éclore un sourire des décennies plus tard. Elle espérait simplement que leur destination surprise n'allait pas rompre le charme.

— Pourquoi souriez-vous ? demanda-t-il entre deux baisers.

Abby posa la tête sur son épaule, s'efforçant de retrouver un peu de sang-froid.

— Je me demande ce que vous allez penser de l'endroit où nous allons.

Dominic fit glisser un pouce sous le feston de son soutien-gorge.

—Oh, j'adore.

— Je ne parlais pas de ça, répondit Abby en repoussant malicieusement la main envahissante. Arrêtez. Je n'arrive pas à me concentrer quand vous faites ça.

Au bord de la route, les panneaux indiquaient que leur destination était proche. Une heure plus tôt, Abby était certaine de son idée. Mais en cet instant où elle ne pensait plus qu'à son désir, son choix lui paraissait complètement idiot.

Un petit rire joyeux secoua le torse de Dominic. Ses mains reprirent leur exploration.

— Et c'est vraiment un problème ?

— Non. En fait oui, rectifia-t-elle en prenant les deux mains de Dominic dans les siennes. Je n'ai pas choisi le genre d'endroit que vous imaginez.

De nouveau, il la serra plus étroitement contre lui. Son souffle était brûlant dans le cou d'Abby.

— Peu importe où nous passons la journée. Mais pour ce soir, c'est moi qui choisis.

La vitre de séparation descendit de quelques centimètres et la voix amusée du chauffeur mit un terme à la balade des mains de Dominic.

— Nous sommes arrivés, monsieur. Au parc zoologique de Southwick.

Dominic considéra le parking autour de lui, avec l'air dégoûté d'un homme qui vient de marcher dans une crotte de chien. *Nom de Zeus !* Il y avait même un car scolaire garé au milieu d'un océan de monospaces.

Lorsqu'il avait accepté le petit jeu d'Abby, il avait en tête une destination résolument plus intime. Que diable étaient-ils venus faire dans un zoo ?

Abby le prit par la main comme si elle venait de lire ses pensées.

— Vous voulez bien me faire confiance ?

Dominic secoua la tête ; tout homme a ses limites. Il aurait pu citer cent autres endroits bien mieux appropriés pour ce qu'il avait en tête.

— Je ne tiens pas vraiment à prendre un bain de foule au milieu d'une horde d'enfants.

Le choix qu'elle avait fait mettait clairement en lumière tout ce qui les séparait. Il se demanda une fois encore s'il ne serait pas mieux avisé d'arrêter là les frais.

Elle lui tira sur la main jusqu'à ce qu'il baisse la tête pour la regarder. L'expression déterminée, presque butée, était revenue sur le visage d'Abby.

— C'est moi qui ai gagné et c'est ici que j'ai choisi de venir. Alors, un petit bémol…, dit-elle avec un air d'autorité et de défi.

Par réflexe, il se redressa en haussant les yeux au ciel. Il faillit rire aussi, mais se retint à temps. Elle n'appréciait pas toujours son humour.

— Oui, m'dame, répondit-il en l'attirant contre lui, un bras passé sur son épaule.

Chaque fois qu'il pensait l'avoir cernée, elle le surprenait. Ça en devenait presque impossible pour lui de s'imaginer de nouveau au bras des brindilles parfaitement apprêtées et inintéressantes jusqu'à la nausée qu'il fréquentait d'ordinaire. Si elle faisait l'amour avec ne serait-ce qu'une once de cette audace, il n'était pas certain d'être capable de la laisser partir au petit matin.

—Allez, dit-elle en le tirant en direction de l'entrée.

Dominic ne parvenait pas à s'arracher tout à fait aux images qu'il venait d'invoquer sur la nuit à venir.

Après l'avoir laissé gracieusement payer les entrées, Abby l'entraîna d'un pas décidé le long d'enclos où somnolaient des petites créatures à fourrure dont il n'eut même pas le temps de retenir le nom. Ils passèrent en coup de vent devant une tortue, de grands oiseaux en cage, et – Dieu merci – la mini-ferme. Abby commença à ralentir l'allure lorsqu'ils passèrent devant la section «Savane africaine».

Pour finir, ils s'arrêtèrent devant un sas à double entrée sur lequel un écriteau indiquait «Bois des cerfs». Elle tira quelques pièces de son sac, et remplit un sac en plastique de grains de maïs à un distributeur.

—En y mettant le prix, je suis sûr qu'ils nous laisseraient donner à manger aux lions, observa Dominic – que les lubies d'Abby rendaient un peu maussade.

—Je n'en doute pas, répliqua-t-elle en poussant la première porte, avant de franchir la seconde sans même regarder s'il la suivait.

Ce qu'il ne manqua de faire, bien entendu.

Après trois ou quatre pas à l'intérieur de l'enceinte, elle attendit qu'il la rejoigne.

— C'est l'un de mes endroits préférés pour réfléchir, dit-elle en embrassant d'un petit geste les bois autour d'eux.

On devinait une expression rêveuse dans le regard de la jeune femme. Pour sa part, Dominic n'avait aucune envie de réfléchir, mais l'évocation de l'amour d'Abby pour ce lieu l'incita à avancer. Ensemble, ils s'enfoncèrent dans la forêt, d'un pas lent et tranquille.

Abby s'assit sur un banc de bois un peu à l'écart du sentier principal. Il la rejoignit, un peu perdu. Pourquoi donc l'avait-elle fait venir là ? Entre eux, la passion paraissait avoir été suspendue. Tout d'abord, elle ne dit pas un mot – et il s'abstint de parler lui aussi. Lui qui était accoutumé à toujours aller de l'avant au pas de charge, presque compulsivement, s'étonna du bien-être ressenti dans ce silence partagé.

En dépit du fait qu'ils étaient tous deux habillés, assis à quelques centimètres l'un de l'autre, jamais Dominic ne s'était senti en aussi étroite communion avec une femme. Il fut terrifié à l'idée que cette sensation d'intimité puisse éclore avant même qu'ils aient fait l'amour. Elle devait n'être qu'une distraction. Un bon moment, mais un moment bref. Elle n'était pas censée le pousser à se demander comment il allait bien pouvoir renouer avec sa vie normale – ni même si cette existence était bien ce qu'il voulait.

Dans l'ombre des grands arbres, il examina le profil heureux de la jeune femme. Son maquillage avait commencé à disparaître et la tendance naturelle de ses cheveux à boucler réduisait peu à peu à néant les efforts du coiffeur. Elle sentit le regard de son voisin sur elle et le scruta à son tour à travers ses cils naturellement immenses. Jamais encore il n'avait vu pareille beauté – mais il n'était pas du genre à tourner des compliments en style fleuri. Il vint doucement poser une main sur la sienne.

Soudain, une vague de visiteurs vint troubler leur tranquillité en traversant le petit bois à toute allure. De toute évidence, à l'instar de Dominic un peu plus tôt, ils pensaient que c'était la partie la moins intéressante du zoo. Néanmoins, après leur passage, Dominic se sentit mal à l'aise d'être assis là à soupirer, comme un amoureux transi en compagnie de son premier béguin.

— Je ne vois aucun cerf, dit-il. Qu'est-ce qu'on fait là au juste ?

— On attend, répondit-elle. Les cerfs vont venir.

— Il ne faudrait pas les appeler, ou quelque chose comme ça ?

Elle sourit et ses yeux au regard chaleureux se plissèrent.

— Ils ne viendront pas si je les appelle. C'est ça qui est stupéfiant avec cet endroit. On ne peut pas forcer un cerf à venir. On peut le chasser, le rabattre, lui faire toutes les menaces qu'on veut, mais un cerf ne viendra que lorsqu'il le voudra bien.

Et d'un coup, le jour se fit dans l'esprit de Dominic.

— Si vous avez tramé tout ça pour faire une analogie entre ma sœur et ces créatures farouches, c'est que vous n'avez pas vu les griffes de Nicole.

Abby préleva quelques grains de maïs dans le sac et les lança au sol autour d'eux.

— Je m'y entends pour juger les gens. Votre sœur était effrayée.

Dominic émit un ricanement.

— Je dirais plutôt qu'elle l'avait mauvaise. Ne croyez pas que vous la connaissez simplement pour l'avoir vue un instant. Elle n'a rien d'un petit cerf que je pourrais rameuter en jetant du maïs.

— Pourquoi êtes-vous revenu à Boston ?

La question le prit complètement au dépourvu. S'il était revenu, c'était parce que Thomas avait laissé entendre que le bien-être de sa sœur dépendait de sa présence à la lecture du testament. Il s'était dit que, cette fois-ci peut-être, elle allait accepter l'argent qu'il lui proposait – et échapper ainsi aux dispositions retorses de leur père pour tout contrôler par-delà la mort.

Abby poursuivit son interrogatoire.

— Vous m'avez dit ne pas être intéressé par l'argent, c'est donc que vous êtes revenu pour votre sœur.

Cette femme était d'une clairvoyance à toute épreuve.

— Vu comme je suis récompensé pour mes efforts…, grinça-t-il. Est-ce que les cerfs vous renvoient vos grains de maïs au visage, comme ma chère sœur le fait quand je lui propose mon aide ?

Abby ne semblait pas le moins du monde désarçonnée par sa colère.

— Peut-être ne lui avez-vous jamais proposé ce dont elle avait besoin.

Si seulement c'était vrai.

— Je lui ai proposé à plusieurs reprises de l'aider financièrement. Mais vous l'avez entendue : elle ne veut rien de moi.

— Tout ce que je l'ai entendue dire, c'est qu'elle ne veut pas de votre argent.

— Et que je suis un frère infâme, ajouta Dominic, plein de dégoût pour lui-même.

— Non. C'est peut-être ce que vous avez entendu, mais ce n'est pas ce qu'elle a dit, répondit Abby – dont l'assurance commençait à irriter Dominic.

— Il vous a suffi d'une seule fois pour la connaître aussi bien ?

— Et après toutes ces années d'existence, savez-vous au moins qui elle est ? répliqua-t-elle. Je ne prétends pas avoir réponse à tout, mais ma sœur et moi avons entretenu le même genre de rapports pendant très longtemps.

Dominic se remémora ce qu'il avait lu sur Abby. En fait, elle avait pratiquement élevé sa petite sœur. Leurs situations respectives n'avaient rien de comparable.

— Votre sœur et vous vivez encore ensemble. Et vous paraissez très proches l'une de l'autre. Ça n'a rien à voir. Je n'ai pas eu une véritable conversation avec ma sœur depuis des années.

Abby retourna sa main sous celle de Dominic, de façon à lui exprimer son soutien en la serrant.

— Et c'est pareil pour nous – du moins jusqu'à hier soir. Bien sûr, nous vivons sous le même toit, mais cela n'a fait qu'empirer les choses. Chaque jour, j'ai pu voir à quel point le fossé se creusait entre nous.

— Et hier soir, tout a changé ? demanda-t-il en haussant un sourcil dubitatif.

— Nous nous sommes retrouvées, répondit Abby, méditative. Je ne prétendrais pas que tout est parfait, mais la situation est bien meilleure – infiniment meilleure. Vous pouvez parvenir au même résultat avec votre sœur. Nicole a seulement besoin de temps – et peut-être d'un peu plus de douceur dans votre approche.

Une petite biche franchit la lisière du bois ; une petite harde de six suivait. Les animaux s'intéressèrent aux grains les plus éloignés – les plus sûrs – sans quitter Abby et Dominic de leurs grands yeux craintifs.

Un grand mâle sortit du groupe pour s'approcher des deux humains assis. D'une main glissée dans son sac plastique, Abby tira la récompense du téméraire. Les autres suivirent et le banc fut bientôt cerné par des cerfs affamés.

Abby déposa quelques grains dans la main de Dominic. Le milliardaire tendit le bras et quelle ne fut pas sa surprise de voir avec quelle délicatesse ces animaux fragiles saisissaient leurs petites friandises. Plus étonnant encore, Dominic ressentit un sentiment de triomphe lorsque les bêtes se montrèrent suffisamment confiantes pour laisser s'approcher les plus jeunes.

Abby le regardait avec une expression radieuse.

— Ça ne change rien, reprit Dominic. Vous avez entendu ce qu'a dit ma sœur. Elle ne veut rien de moi.

Abby lui donna d'autres grains de maïs.

— Qui essayez-vous de convaincre ? Vous ou moi ?

La sonnerie du téléphone portable de Dominic fit s'enfuir quelques daims. Celui-ci sonna une deuxième fois, mais le jeune homme ne réagit pas plus.

Abby se tourna vers lui, tandis que la sonnerie gagnait en volume.

— Vous n'allez pas répondre ?

Je devrais. Jake ne rappellerait pas si vite s'il ne s'agissait pas d'une urgence. Dominic plongea la main dans une poche de devant et ouvrit son appareil d'un coup sec.

— Corisi, dit-il avec dans le ton tout l'agacement qu'il ressentait.

— Nous avons un problème, annonça Jake. Il faut que tu rentres à New York le plus vite possible.

— Ça, c'est un problème, répondit Dominic. Parce que je n'ai pas l'intention de rentrer avant la semaine prochaine.

Jake ne se laissa pas dissuader par ce refus.

— Je viens de parler à l'un de nos contacts au sein de l'Agence de promotion de l'investissement en Chine. Il estime que tu as offensé le ministre du Commerce en ne te présentant pas au rendez-vous. Le ministre a perdu la face et s'interroge sur ton *guanxi*.

— Mon quoi ?

— Ta relation personnelle avec lui. La confiance que vous pouvez avoir l'un envers l'autre. Peu importe. Le problème, c'est que je ne peux pas régler ça tout seul. Il va falloir que tu laisses tomber ce que tu es en train de faire. Prends un vol pour Pékin et rencontre-le en personne cette semaine. Sinon, tout le projet sera ajourné.

Pékin était bien le dernier endroit où Dominic avait envie d'aller. Il n'était pas encore prêt à reprendre le cours de sa vie d'avant. Il voulait simplement quelques jours encore avec Abby. Sans pression. Sans attentes. Avec elle, il redécouvrait celui qu'il était derrière la colère et l'ambition, et il aimait l'homme que reflétaient les yeux couleur d'ambre.

— Ce contrat est aussi avantageux pour eux que pour nous. Qu'est-ce qui coince ?

Le ton de Dominic trahissait son exaspération croissante.

— Nous n'avons pas tenu compte de l'importance que les Chinois accordent à la relation personnelle. Ils ne feront pas un pas de plus tant que tu ne seras pas allé là-bas parler avec eux. Notre contrat stipule effectivement qu'ils ont tout le temps qu'ils veulent

– contrairement aux Américains impatients. Or, nous ne pouvons pas nous permettre de repousser ce projet. Nos investisseurs commencent déjà à montrer des signes de fébrilité.

Ayant aperçu les cerfs autour d'Abby et Dominic, un groupe d'enfants s'approcha en poussant des cris.

— C'est quoi ce bruit, Dominic ? Où diable te trouves-tu ?

— Au zoo, répondit Dominic, l'esprit ailleurs.

— On dirait bien, grogna Jake. Non, sans rire, tu es devant un magasin de jouets ou quelque chose comme ça ?

— Non, non. Je suis bel et bien au zoo.

Abby évacua le reproche sous-jacent d'un petit haussement d'épaules parfaitement décomplexé, puis continua de suivre ce qu'elle pouvait de la conversation avec une curiosité non dissimulée.

— Un zoo avec de vrais animaux en cage ? demanda Jake, d'une voix subitement haut perchée.

— Parce qu'il existe d'autres types de zoo ?

— Hein…

Pendant un instant, Jake fut réduit au silence. Dominic pouvait pratiquement l'entendre se dire : « *C'est encore pire que ce que je pensais.* »

— D'accord, reprit Jake. Alors, tu donnes les dernières cacahuètes aux singes et tu fonces à l'aéroport. On est en train de faire le plein de ton appareil en ce moment même à Logan.

Dominic n'avait pas réussi dans le monde des affaires sans apprendre à s'adapter rapidement aux situations.

— Ça vous dirait de voir Pékin ? demanda-t-il à son amie amatrice de cerfs.

La mâchoire d'Abby parut se décrocher.

— Vous voulez dire en Chine ? Mais je n'ai même pas de passeport.

Dominic se leva en entraînant Abby avec lui.

— Je quitterai Boston dans un peu plus d'une heure. Fais préparer un passeport au nom d'Abigail Dartley. Je le récupérerai à New York avec les papiers dont j'ai besoin. Demande à Duhamel de rentrer avant nous et de préparer des bagages pour deux. Elle saura de quoi je veux parler. Ensuite, nous ferons le plein et partirons cette nuit.

— Tu emmènes ta gouvernante ? demanda Jake, aussi stupéfait qu'incrédule.

— Fais ce que je te demande, répondit Dominic avant de raccrocher.

Il ne lâcha pas la main d'Abby, malgré les tentatives de la jeune femme pour se libérer. L'emmener avec lui était parfaitement logique, et le fait de prendre des initiatives l'apaisait et lui donnait le sentiment de mieux maîtriser la situation.

Abby résista lorsqu'il voulut l'entraîner avec lui. Les talons plantés dans le sol, elle tint bon jusqu'à ce qu'il n'ait d'autre choix que de se retourner.

Quelle femme entêtée.

— Je ne peux pas partir en Chine. J'ai des obligations ici. Lil est toujours malade…

D'un geste de la main, Dominic évacua les problèmes qu'Abby débitait à toute vitesse.

— Duhamel a envoyé une nourrice pour aider votre sœur aujourd'hui. Il suffira de lui demander de l'engager quelques jours encore.

Tout est si facile. Il tenta de la faire avancer, mais elle ne cédait pas.

— La Chine ? Je ne peux partir comme ça… sans même une brosse à dents.

La main d'Abby mollit un peu dans celle de Dominic. *Elle n'est donc pas aussi sûre et résolue qu'elle veut bien le montrer.*

— Nous achèterons tout ce qu'il faut. Et maintenant, on y va, dit-il sur ce ton qui mettait les hommes en action – et invitait les femmes à se plier à leurs désirs.

Abby ne fit ni l'un ni l'autre.

— Je ne peux pas, répéta-t-elle, nullement impressionnée par son ton.

Ce n'était pas le moment qu'elle laisse s'exprimer son adorable côté sauvage et rebelle. Dominic avait déjà pris sa décision : il ne partirait pas en Chine sans elle. La voie autoritaire n'ayant pas fonctionné, il allait donc essayer autre chose.

Il la prit dans ses bras et la serra fort contre lui. La résistance céda bien vite le pas au désir – un levier tout aussi efficace dans la négociation.

— Je veux que vous veniez et vous savez que vous avez envie de venir. Pour une fois, ne jouez pas la sécurité.

— La Chine ? demanda-t-elle d'une toute petite voix – comme si elle essayait de se rappeler le sujet de leur discussion.

Dominic se pencha pour venir goûter ces lèvres sur lesquelles Abby venait de passer sa langue. Elle inspira vivement et ses seins aux pointes dressées vinrent frôler le torse de Dominic. C'était le meilleur assentiment qu'elle pouvait lui donner. Leur baiser les laissa tous deux tremblants de désir. Plein d'impatience, Dominic songeait au long vol qui les attendait.

Chapitre 9

Quelques heures plus tard, Abby se prélassait sur la moelleuse banquette qui occupait tout le côté de la cabine du jet privé de Dominic. En dépit du fait qu'elle avait déjà eu le temps de l'explorer plusieurs fois de fond en comble pendant le vol entre Boston et New York, elle était toujours aussi stupéfaite et émerveillée par la taille de ce mobilier intégré et ultramoderne, avec ses coussins et garnitures d'un joli vert clair. L'appareil comportait plusieurs chambres, une salle de sport, une douche, une petite salle de projection et même un jacuzzi. Abby se demandait bien quel pouvait être l'intérêt d'une telle baignoire à bord d'un avion, mais si elle avait pu douter de la fortune de Dominic, la question ne se posait plus désormais.

Pour une femme qui n'avait encore jamais pris l'avion, c'était une aventure surréaliste et exaltante. Elle aurait bien aimé partager cette expérience avec quelqu'un, mais Dominic avait passé l'essentiel du vol Boston-New York au téléphone, à donner des ordres à ses employés sur deux continents.

Abby avait des amies, mais pas une ne l'aurait crue si elle leur avait raconté les événements des deux dernières journées. Seule personne dans la confidence, Lil avait poussé des cris surexcités en apprenant qu'Abby partait à l'étranger en compagnie de Dominic. Lil adorait la nourrice envoyée par Marie Duhamel. Et elle était aux anges que sa grande sœur se soit enfin décidée à vivre.

Abby aurait aimé être aussi certaine d'avoir fait le bon choix. C'était une chose de passer une journée avec un quasi-inconnu ; c'en était une autre de se lancer dans un voyage à l'étranger. Elle ne savait pas où ils allaient résider, qui elle allait rencontrer, ni même quand ils rentreraient.

Ça la démangeait d'aller se planter au milieu les bras croisés jusqu'à obtenir ces informations. Néanmoins, tous les collaborateurs de Dominic étaient accaparés par la situation de crise, et le milliardaire lui-même se heurtait à des problèmes qui faisaient paraître ceux d'Abby insignifiants.

Quelle femme pouvait demander à un homme d'abréger sa communication avec le président des États-Unis pour obtenir l'itinéraire de leur voyage ? Quel sénateur pouvait-elle interrompre pour se renseigner sur l'hôtel où ils allaient résider ?

Depuis le début de cette courte escale new-yorkaise, Dominic avait passé son temps assis à la table de conférence, le nez plongé dans des dossiers, en compagnie de Jake. Dominic l'avait rapidement présenté à Abby avant de l'éloigner d'elle.

Elle captait des bribes de conversation, mais pas assez pour cerner précisément l'objet de ce voyage en urgence vers Pékin. À ce qu'elle avait compris, les officiels ne voulaient négocier avec personne d'autre que Dominic, et les gouvernements des deux pays comptaient sur lui pour trouver une issue à cette situation.

Le costume immaculé de Jake et sa coupe de cheveux des plus classiques contrastaient singulièrement avec la tenue décontractée de Dominic et son allure échevelée.

À l'arrivée de Marie Duhamel, Abby se leva pour l'accueillir. Un jeune homme chargé de plusieurs sacs l'accompagnait.

— J'ai fait mettre en soute l'essentiel des bagages, mais comme le vol est long, je me suis dit que vous apprécieriez d'avoir des vêtements de nuit, des accessoires de toilette, et une tenue de rechange pour demain. À votre arrivée sur place, il sera midi, heure locale.

— Merci, Marie.

Abby en restait sans voix.

— J'ai confié votre passeport à Dominic, ajouta Marie.

— Ne serait-il pas préférable qu'il soit en ma possession ? demanda Abby.

Pour toute réponse, Marie Duhamel haussa les épaules.

— Où dois-je mettre vos bagages pour la nuit ? demanda le jeune homme.

Par mesure de précaution, Abby lui indiqua de ranger ses affaires dans l'une des chambres d'amis – nettement distinctes par leur taille réduite de celle du maître des lieux. La jeune femme sentit soudain sur elle le feu du regard de Dominic, à croire qu'il avait entendu ses instructions. Elle vit ce qui brillait dans les yeux du milliardaire – et un frisson d'excitation lui parcourut l'échine. Elle pouvait bien mettre ses bagages où elle voulait, il y avait peu de chances qu'elle passe la nuit ailleurs qu'à côté de lui.

Cette perspective était à la fois tentante et incroyablement effrayante. Bien sûr, elle avait envie de s'éloigner un instant de sa vie si sage et si prévisible. Mais elle se retrouvait propulsée dans un univers où elle ne contrôlait pratiquement rien. C'était encore plus terrifiant que de quitter son pays pour la première fois.

La prendrait-on pour une folle si elle s'excusait poliment et s'enfuyait vers le premier taxi ? Ses yeux allèrent de la porte ouverte à Dominic. Et, alors même qu'elle n'avait pas bougé, le jeune homme parut se crisper.

Il recula son fauteuil de la table et se leva pour venir vers elle. Marie Duhamel s'excusa pour rejoindre Jake dans la zone de travail.

Il n'était quand même pas capable de lire dans ses pensées ?

D'un doigt, Dominic lui releva doucement le menton, jusqu'à ce que leurs yeux se rencontrent.

— Jake est convaincu que je vous ai kidnappée. Allez-vous prendre la fuite par cette porte et confirmer toutes ses craintes au sujet de ma santé mentale ?

— Non, répondit-elle, d'une voix moins ferme qu'elle l'avait espéré.

La main de Dominic suivit le cou d'Abby pour venir masser doucement les points de tension qu'il sentait dans ses épaules.

— Vous n'avez pas l'air fermement décidée à rester.

Toutes les peurs d'Abby jaillirent d'un seul coup.

— La Chine ! Alors que je n'avais encore jamais pris l'avion. Je ne sais pas dans quel secteur vous travaillez, ni qui nous allons rencontrer, ni même où nous allons atterrir. Je ne sais pas quel rôle je suis censée jouer dans ce voyage, poursuivit-elle tandis que ses mains s'étaient mises à trembler. Est-ce que je suis une distraction que vous gardez sous le coude pour folâtrer entre deux réunions ?

— Folâtrer ? Mais qui utilise encore ce mot ? plaisanta-t-il.

— Ne vous moquez pas, Dominic, répliqua-t-elle, en colère, les larmes aux yeux.

Elle se retourna pour attraper son petit sac – la dernière chose qui lui appartenait vraiment dans cet avion. Tout à coup, elle eut la ferme intention de faire ce que lui soufflait son instinct : descendre de cet avion tant qu'elle le pouvait encore.

— Je savais que c'était une erreur.

L'arrogance de Dominic vacilla quelque peu.

— Restez, dit-il.

Abby fit un pas en direction de la sortie.

— Je ne suis pas un chien. Je n'obéis pas comme ça à un simple mot.

— Qu'est-ce que vous voulez pour rester ? demanda-t-il en lui barrant le passage.

Abby se hérissa au souvenir d'une conversation du même ordre qu'ils avaient déjà eue.

— Dominic, si vous me proposez de l'argent, je vous jure que je vous colle une fessée dont vous vous souviendrez.

En un geste de parodie, il leva les mains devant lui comme pour se protéger. Mais son visage montrait toute sa détermination.

— Que voulez-vous, Abby ? Dites-le-moi.

Ainsi mise sur la sellette, Abby sentit à quel point sa demande était ridicule. Néanmoins, une petite voix lui soufflait que cet instant était crucial pour eux deux. Elle pouvait se draper dans sa dignité, cacher ses craintes et éviter cette conversation gênante, mais en s'engageant sur cette voie, elle renonçait à toute possibilité d'avoir le sentiment d'appartenir à son monde à lui.

— Je veux savoir pourquoi vous voulez que je vous accompagne.

La demande de la jeune femme le fit tomber des nues.

— Je ne comprends pas votre question.

Abby prit son courage à deux mains.

— C'est quoi ? C'est juste pour s'envoyer en l'air ? Dans ce cas-là, même si ça tombe mal, j'aime autant rester à la maison et vous voir à votre retour.

Dominic mit les mains dans les poches de son jean. Ses yeux gris avaient pris une note plus foncée. S'était-elle montrée trop brutale ? N'allait-il pas être soulagé, au fond, de la voir partir ?

Elle avait presque renoncé à obtenir une réponse de sa part lorsqu'il reprit la parole, tout bas et comme à contrecœur.

— Oui, je vous veux. Depuis que je vous ai rencontrée hier, je n'ai pratiquement pensé qu'à ça – vous mettre dans mon lit. Mais…

— Mais ? souffla-t-elle en écho.

Il passa nerveusement une main dans ses cheveux déjà en bataille.

— Je crois que vous avez aussi sur moi un effet… apaisant.

Ce n'était vraiment pas ce à quoi elle s'était attendue.

— Je vous *apaise* ?

Et ce n'était pas non plus l'effet qu'il produisait sur elle.

— Oui, j'arrive à me concentrer lorsque vous êtes à mes côtés. C'est pour ça que j'ai besoin de vous pour ce voyage.

D'accord, la présence d'Abby allait être une aide précieuse au cours de cette semaine difficile. Pas la plus romantique des déclarations. De toute façon, elle ne l'aurait pas cru s'il s'était risqué à lui en faire une. Pour autant, il y avait de la sincérité dans ses paroles. Et il avait besoin d'elle! Ce simple aveu avait dû lui coûter.

Pendant qu'elle digérait ses paroles, l'agacement de Dominic monta d'un cran.

— Écoutez, si vous ne voulez pas venir, dites-le. Duhamel s'occupera de vous trouver une place en première sur le prochain vol pour Boston. Je n'ai pas la moindre idée de la façon dont les négociations vont tourner à Pékin. Ceci n'est pas un voyage d'agrément. Nous y resterons peut-être l'espace de quelques heures – ou la semaine entière. Et je vais être occupé pratiquement en permanence. Oui, je vois bien que c'était une folie de vous demander de venir.

Tout à coup, connaître le nom de leur hôtel ne paraissait plus si important. Dominic la voulait à ses côtés – et plus rien d'autre n'importait. Elle reposa son sac sur la banquette derrière elle et fit face à Dominic. La certitude d'être plus importante encore à ses yeux qu'il n'était en mesure de l'exprimer avait chassé ses doutes et instillé en elle une nouvelle confiance.

— D'accord, je viens.

Il parut sur le point de la serrer dans ses bras jusqu'à l'étouffer, mais il se contint pour saluer sa décision d'un simple hochement de tête, avec un petit sourire.

— Tant mieux. Parce que je ne suis pas sûr d'avoir été tout à fait sincère en disant que je vous aurais laissée partir.

Abby surprit les regards de Jake et Marie Duhamel qui suivaient leur petit débat avec fascination. Ils n'éprouvaient visiblement ni l'un ni l'autre le besoin de détourner la tête. Abby se dit qu'elle pouvait s'amuser un peu.

— Je suis certaine que M. Walton se serait fait un plaisir de se charger de mon rapatriement si je lui en avais fait la demande.

Une lueur de défi fit briller les yeux de Dominic.

— Il n'avait pas intérêt à essayer.

— Vous êtes vraiment un homme des cavernes, Dominic ! plaisanta Abby.

— Et vous vous en plaignez ? répliqua-t-il d'une voix de velours.

Il tendit les mains pour l'attirer à lui et elle se dressa sur la pointe des pieds.

— En fait, je trouve ça plutôt excitant.

Les bras de Dominic se refermèrent – mais pas assez vite. Abby esquiva son étreinte pour rejoindre le public captivé de cette saynète.

Tout bien réfléchi, Abby se trompait peut-être du tout au tout. Au lieu d'accepter d'être mise de côté, peut-être ferait-elle mieux de prendre les rames, elle aussi.

— Marie, pourrais-je avoir une copie de notre itinéraire ainsi que quelques guides touristiques ? Tant qu'à faire, j'aimerais pouvoir faire une ou deux visites pendant les réunions de Dominic.

Jake s'immisça dans la conversation.

— Je peux vous servir de guide, Abby, si vous voulez. Je commence à assez bien connaître le pays.

À ces mots, Dominic se raidit – ce qui donna immédiatement une idée à Abby. Dominic avait parfois tendance à se prendre trop au sérieux ; ça ne pouvait donc pas lui faire de mal qu'on se moque un peu de lui.

— Ce serait génial ! s'exclama-t-elle avec un clin d'œil complice à l'intention de Jake et Marie. Dites-moi, Marie, c'est bien une suite que vous nous avez retenue ? S'il y a une chambre supplémentaire, peut-être que Jake pourrait s'installer avec nous.

Dominic la prit par le coude. Son visage fermé montrait qu'il n'avait pas encore saisi la plaisanterie.

— Je ne serai pas occupé à ce point-là.

Le contact de la main de Dominic sur sa peau faillit lui faire perdre pied. Abby s'empressa de dissimuler son trouble derrière un petit rire conciliant.

— Je plaisante, Dominic.

Devant la mine un peu piteuse du milliardaire, Jake explosa d'un grand rire sonore.

— J'ai l'impression que tu as trouvé un adversaire à ta mesure cette fois, Dom. Et les crispations de ta mâchoire n'ont pas l'air de l'effrayer.

Marie Duhamel elle-même se mit à glousser.

— Elle est parfaite pour lui ! J'ai toujours pensé qu'il avait besoin de quelqu'un capable de le faire baisser d'un ton.

Dominic poussa un juron dans sa barbe, ce qui ne fit qu'ajouter à la joie générale.

— Attention, nous avons un long vol devant nous, dit-il tout bas en faisant courir ses doigts puissants au creux des reins de la jeune femme.

Abby frissonna de la tête aux pieds, mais elle n'avait peur de rien. Il ne pouvait pas lui faire grand-chose tant que Marie Duhamel était là.

— Des promesses, des promesses, répliqua-t-elle avec un petit rire.

Il la fusilla du regard et Abby sentit le papillon-nement familier au creux de son ventre. Elle pouvait changer son humeur d'une simple caresse. La puissance de leur attirance était enivrante.

Jake referma son porte-documents et gratifia Abby d'un hochement de tête.

— Dom, je comprends mieux pourquoi tu ne voulais pas rentrer à New York.

Dominic lança un regard noir à son bras droit, puis une pensée l'illumina soudain.

— Jake, il y a une chose que tu pourrais faire en mon absence.

— De quoi as-tu besoin ? demanda Jake, sur ce ton posé d'homme accoutumé à affronter l'inattendu.

— Je voudrais que tu t'assures que Lil, la sœur d'Abby, ne manque de rien.

Marie Duhamel intervint pour dire qu'elle pouvait s'en charger, mais Dominic la fit taire d'un geste de la main.

— Transmettez à Jake les informations nécessaires. Ça suffira.

— Je ne serais pas plus utile au bureau de New York ? tenta Jake.

— Ce n'est vraiment pas la peine, Dominic, renchérit Abby. Lil a déjà une nourrice à temps plein.

Mais l'insistance de Dominic ne souffrait pas le refus.

— Jake, je me sentirais mieux si je sais que quelqu'un de confiance veille sur la sœur d'Abby.

Dominic se pencha sur Abby pour poursuivre sur un ton étonnamment espiègle.

— Jake a une véritable phobie des enfants, murmura-t-il. Ça lui fera un bien fou.

— C'est…, commença Abby avec un sourire.

— … exactement ce qu'il mérite, termina Dominic au creux de l'oreille de la jeune femme.

Chapitre 10

Drapée dans un plaid, Abby regardait défiler les nuages de l'autre côté du hublot. Les lumières de la ville avaient disparu au loin et ils étaient au-dessus de l'Atlantique. Elle avait attaché sa ceinture mais, dans le confort feutré de la cabine, elle s'était presque autorisée à oublier qu'elle s'éloignait à chaque seconde un peu plus de tout ce qu'elle avait connu jusqu'à ce jour.

Observer Dominic en train de discuter au téléphone avec les puissants de ce monde était un spectacle fascinant. Tour à tour, il expliquait, hurlait, menaçait, sans jamais s'excuser. Et, à en juger par la façon dont il terminait chaque appel avec un air satisfait, cela ne paraissait pas nécessaire.

Dominic étira les bras loin derrière lui, se leva, puis la chercha du regard.

— Approchez, dit-il.

De tout son être, elle ne demandait qu'à obéir à son ordre chargé de promesses voluptueuses. Au lieu de cela, elle lissa tranquillement le plaid posé sur ses genoux.

— Il me semblait vous avoir fait comprendre que je n'appartiens pas à la race canine.

Il sourit – et elle sut qu'il appréciait qu'elle ne lui obéisse pas au doigt et à l'œil. C'était un chasseur qui aurait été déçu que sa proie cède de trop bon gré.

— Approchez, répéta-t-il d'une voix rauque.

Elle secoua la tête en s'efforçant de dissimuler son amusement. La température de la pièce grimpa dans la même proportion que ses joues rosissaient. Les petits jeux excitaient Dominic – et Abby découvrait qu'ils produisaient le même effet sur elle. Elle ne put résister à l'envie de renchérir.

— Non, venez plutôt ici.

Match nul sur le plan sexuel. Qui allait céder le premier ? Qui allait aller à l'autre ?

Abby se déchaussa tout doucement, en faisant glisser ses chaussures avec ce qu'elle espérait être la technique d'une spécialiste du strip-tease. Chacune à leur tour, elles tombèrent au sol dans un petit bruit sourd.

Sans la quitter des yeux un seul instant, il retira ses baskets en marchant d'un mouvement impatient sur le talon de chacune d'elles. Tous ses mouvements étaient délibérément empreints de retenue.

Lentement, Abby roula ses chaussettes le long de ses chevilles, avant de les retirer pour les ranger soigneusement dans ses baskets. Ensuite, elle coula vers lui un regard plein d'audace. Si quelqu'un lui avait dit un jour qu'ôter ses chaussettes pouvait susciter une délicieuse tension sexuelle, elle se serait gaussée. Néanmoins, lorsque Dominic se baissa pour retirer les siennes et les jeter négligemment à côté de ses chaussures, Abby en eut le souffle coupé. La passion étincelait dans les yeux gris du jeune milliardaire.

Un désir partagé palpitait entre eux.

En s'obligeant à conserver un rythme lent et douloureusement chargé d'érotisme, Abby fit sortir son tee-shirt de son jean, avant de le faire passer par-dessus sa tête. Ensuite, elle le jeta au sol à mi-chemin entre eux deux. L'air frais de la cabine se glissa entre les broderies blanches de son soutien-gorge pour lui caresser agréablement la peau. La pointe de ses seins se redressa ; le souffle de Dominic couvrit presque le bourdonnement des moteurs.

À son tour, Dominic retira son tee-shirt qu'il envoya rejoindre celui d'Abby. Cette tenue avait déjà donné un aperçu de la constitution de Dominic, mais une fois qu'il fut nu, la jeune femme découvrit un homme puissamment découplé dans la force de l'âge. En d'autres temps, il aurait été guerrier ou gladiateur. Il était une parfaite incarnation de la virilité et, pour cette journée tout au moins, il n'appartenait qu'à elle.

Abby se leva. Lorsqu'elle commença à déboutonner tout doucement son jean, elle crut qu'il allait rendre les armes. Dominic esquissa un pas apparemment involontaire dans sa direction, mais il se ressaisit. D'un pas sur le côté, Abby ôta le vêtement, qu'elle envoya rejoindre les autres sur la pile.

Abby se félicita d'avoir pris le temps d'acheter une petite tenue qui lui donnait toute la confiance dont elle avait besoin pour se tenir en face de lui ; elle savait combien la culotte et le soutien-gorge de dentelle blanche rendaient justice à sa silhouette. *Merci Marie pour le soin intégral.* Jamais Abby n'avait été aussi heureuse que son corps ait été ainsi pomponné jusqu'en ses moindres recoins.

Dominic envoya valdinguer son jean sur la pile, d'un geste qui trahissait son impatience. Son boxer en coton ne dissimulait rien de l'effet que lui faisait ce petit strip-tease. Le tableau ne fit que raviver l'excitation d'Abby.

Leurs souffles haletants résonnaient à l'unisson, comme s'ils s'étaient lancés ensemble dans quelque rituel d'accouplement des temps primitifs. Le corps d'Abby réclamait celui de Dominic avec une ardeur dont jusqu'alors elle avait seulement entendu parler – et qu'elle avait toujours considérée comme une exagération. Sa peau frémissait d'impatience. Le désir rendait son corps moite. Et, de manière sidérante, la flamme qui brûlait dans les yeux de Dominic exprimait la même envie dévorante.

La situation demeura relativement équilibrée, jusqu'à ce qu'Abby vienne, d'une main, cueillir un de ses seins pour en titiller doucement, du pouce, la pointe dressée.

Dominic marcha résolument jusqu'à elle. Il la souleva en la serrant contre lui et prit le sein dans sa bouche. Abby noua ses jambes autour de la taille de Dominic, en regrettant qu'ils n'aient pas franchi une étape supplémentaire dans leur déshabillage. Elle n'en appréciait cependant pas moins le contact de Dominic qui s'attardait sur sa culotte trempée.

Leurs bouches se joignirent pour un baiser enfiévré.

Les deux mains sous ses fesses, il la fit aller d'avant en arrière contre lui, jusqu'à ce qu'elle bouge avec lui. Sans donner l'impression de forcer, il l'emporta ainsi jusqu'à la grande chambre. Ce fut à peine s'il interrompit leur baiser pour ouvrir la porte.

Il la fit atterrir au milieu du lit – où elle resta légèrement étourdie. Et lui, où allait-il ? Il ne pouvait pas l'emmener aussi loin, puis s'arrêter net.

Avec un sourire espiègle, Dominic ouvrit un tiroir pour y prendre l'accessoire dont Abby savait qu'il était indispensable, mais qu'elle avait oublié dans son enthousiasme. Il retira son boxer et tendit le petit emballage à sa partenaire. Et comme il se tenait là devant elle, semblable à quelque conquérant héroïque attendant d'être servi, Abby ne résista pas au plaisir de renverser une dernière fois la situation.

Abby était une femme moderne. Elle avait lu quantité d'articles sur les mille et une façons de rendre cet instant encore plus inoubliable – même si elle n'était encore jamais sortie avec celui qui lui aurait donné envie de les mettre en pratique.

Elle prit le carré argenté et s'approcha en rampant jusqu'au bord du lit, prenant à dessein tout son temps. Elle mesurait parfaitement les effets de l'attente sur Dominic. Tout son corps parut traversé d'une décharge lorsqu'elle fit coulisser le préservatif sur lui, avant de finir de le dérouler avec la bouche. Dans un grondement sourd, il roula sur le lit pour peser sur elle de tout son poids. Ses mains expertes étaient partout. Il acheva de la déshabiller et trouva du bout des doigts son point sensible déjà inondé. Ses grandes mains fermes la caressaient, plongeant en elle ou suivant les lignes de ses cuisses, imprimant un rythme qui la faisait s'accrocher à lui, toute gémissante et haletante.

Dans cette opération de fusion, il n'y avait ni meneur ni suiveur. Chacun d'eux donnait autant qu'il recevait, exigeait autant qu'il offrait. Chacun cherchait la caresse à prodiguer pour envoyer l'autre toujours plus haut, puis se délectait avec ravissement du plaisir des gestes reçus.

—Viens, dit-il.

Cette fois, elle ne discuta pas. Une houle passa sur elle pour la submerger en longues vagues successives. Et lorsqu'elle crut qu'elle n'en pouvait plus, il se glissa en elle – et les vagues de plaisir reprirent leur interminable ronde.

Ils basculèrent et elle se retrouva sur lui. Il la guida en un long va-et-vient de bas en haut, jusqu'à ce qu'ils parviennent ensemble à un sommet d'extase et d'abandon partagé. Elle s'effondra sur lui, splendidement impudique et totalement rassasiée.

D'un petit mouvement, il l'attira contre lui sous une couverture. Ses bras puissants ne laissaient à Abby guère de chances de s'échapper, mais la jeune femme ne s'en trouvait pas fâchée.

Sous le coup d'une impulsion, elle déposa un baiser sur le torse de son amant.

— Finalement, folâtrer entre deux réunions n'est peut-être pas une si mauvaise idée.

Il rit doucement et la serra plus fort contre lui. Son souffle se fit plus lent ; il s'abandonnait au sommeil. Abby se serait sans doute offusquée de cet endormissement rapide si Marie ne lui avait pas fait part de ses inquiétudes liées au fait que Dominic n'avait pas fermé l'œil depuis une semaine. Apparemment, le problème était réglé.

Elle se blottit plus étroitement contre lui en se remémorant ce qu'il avait dit d'elle : elle l'apaisait. Alors que son cœur battait la chamade chaque fois qu'elle pensait aux quelques journées qu'ils allaient passer ensemble, elle se demanda s'il savait qu'il produisait sur elle l'effet inverse. Jamais encore elle ne s'était sentie aussi intensément vivante.

Chapitre 11

Deux limousines et deux 4×4 noirs vinrent les chercher le lendemain en fin de matinée à l'aéroport privé où ils avaient atterri dans la périphérie de Pékin. Abby sortit de la cabine pour entrer dans la chaleur de l'atmosphère estivale chinoise, en se félicitant que Marie Duhamel ait pensé à tout. Après s'être douchée, elle avait passé un confortable pantalon de coton bleu clair et un chemisier beige.

Quatre colosses – deux Chinois et deux Américains –, accueillirent Dominic au pied de la passerelle. Le milliardaire les présenta ensuite à Abby de manière étrangement informelle. À l'évidence, il ne s'agissait ni d'associés ni d'amis. Chacune des mains qu'elle serra était plus immense encore que la précédente. Ils étaient uniformément vêtus d'un pantalon noir, d'une chemise blanche et d'une veste noire.

Abby entendit Dominic donner ses instructions.

— Je vous ai fourni une liste des lieux où elle peut aller, mais ne la perdez jamais de vue. Si elle veut discuter, prêtez-vous au jeu. Si elle veut que vous deveniez invisibles, disparaissez. Mais surtout, ne vous éloignez jamais de plus de trois mètres.

— Et dans la suite, monsieur ?

— En mon absence, je veux un homme à l'intérieur et les autres en patrouille aux abords. Et quand je suis là, vous disparaissez.

— Compris.

Abby avait la même sensation étrange qu'un touriste fraîchement débarqué qui demande s'il faut laisser un pourboire au portier.

— Dominic ? Est-ce vraiment nécessaire ?

Il baissa les yeux vers elle – aussi sûr de lui à Pékin qu'il l'était à Boston. Une nouvelle fois, Abby songea qu'elle en connaissait bien peu sur lui et son monde.

— C'est autant pour assurer ta sécurité que ma santé mentale. Certains seraient prêts à t'utiliser pour influencer le cours des négociations.

Elle joignit les deux mains devant elle.

— M'utiliser ? répéta-t-elle d'une petite voix.

Elle ne reconnaissait plus son amant de la nuit dans cet homme au visage impassible.

— Il n'est plus question de rentrer à la maison maintenant, Abby. On t'a vue avec moi. Ta sœur et toi resterez sous ma protection jusqu'à ce que cette histoire se soit tassée.

Avec les gardes du corps à proximité, Abby savait qu'elle ne pouvait pas objecter qu'elle ne connaissait même pas l'objectif de ce voyage. Pourtant, elle aurait voulu faire valoir que la question de sa sécurité personnelle n'avait jamais été abordée lorsqu'il lui avait demandé de l'accompagner – et que cette surveillance permanente, équivalente à une assignation à résidence, l'aurait sûrement fait réfléchir à deux fois avant de se lancer dans cette aventure. Il y avait tellement de choses qu'elle aurait aimé dire s'ils avaient été seuls – et si le visage de Dominic n'avait pas aussi clairement indiqué que le sujet ne se discutait pas.

Pour l'instant tout au moins.

— Je vois, dit-elle en considérant de nouveau les gardes.

À coup sûr, l'idée de lui servir de baby-sitters ne les enchantait pas plus qu'elle n'appréciait la perspective d'être suivie en permanence par quatre ombres colossales. Elle fit contre mauvaise fortune bon cœur.

— J'espère au moins que vous savez jouer au poker, les gars ?

Sa remarque provoqua un éclat de rire général – et donna le ton de leur relation à venir. Elle n'allait ni leur causer du tort, ni leur jouer la partition de l'enfant gâtée à laquelle ils avaient déjà dû avoir droit.

Le regard de Dominic se fit d'un coup moins sévère. Une lueur d'intérêt renouvelé venait de s'y allumer.

— Tu joues au poker ?

Cela faisait des années qu'elle n'en avait pas eu l'occasion, mais elle n'avait pas oublié les règles. L'un de ses oncles lui en avait enseigné les subtilités et, dans ses jeunes années, Abby s'était taillé une sacrée réputation.

— Oui, répondit-elle.

Puis elle ajouta sur un ton espiègle :

— Mais uniquement avec ton argent.

Dominic bascula la tête en arrière pour rire à gorge déployée, à la surprise générale. Les gardes postés derrière Abby lui jetèrent des regards stupéfaits. L'avaient-ils seulement déjà vu rire ?

— L'hôtel *International*, monsieur ? demanda le chauffeur en ouvrant la portière de la limousine.

D'une main au creux des reins, Dominic invita Abby à prendre place.

— Pas cette fois, Scott. J'ai réservé à l'hôtel *Aman* au palais d'Été.

Le chauffeur marqua un soupçon de surprise.

— C'est à plus d'une demi-heure du quartier d'affaires, monsieur.

Peut-être parce qu'il connaissait mieux ce chauffeur, Dominic fit preuve d'une plus grande patience qu'avec celui de la veille à Boston.

— Je sais parfaitement où il se trouve.

Avant de refermer la portière, le chauffeur inclina la tête pour sourire à Abby.

— Je vois, monsieur.

— Et que voit-il au juste ? demanda Abby à Dominic installé à côté d'elle.

Répondre aux questions de la jeune femme semblait le mettre plus mal à l'aise que tous ses coups de fil de la veille.

— Le *Aman* est un complexe hôtelier aux bâtiments anciens, d'architecture chinoise traditionnelle, situé dans une zone touristique juste à côté du palais d'Été et de ses jardins.

— Tu l'as choisi pour moi ! s'exclama Abby, positivement ravie.

Les joues de Dominic rosirent. Abby adorait l'idée qu'un homme tel que lui soit encore capable de rougir – du moins, pour elle.

— L'emplacement est parfait pour toi. Je t'accompagnerai pour visiter les principaux sites, mais tu peux accéder aux jardins du palais d'Été directement depuis le *Aman*, et même louer une petite barque si tu veux.

— Merci, murmura Abby en lui serrant le bras.

Dominic l'attira contre lui pour lui donner un baiser exquis.

— J'ai des rendez-vous et je ne peux pas t'accompagner jusqu'à l'hôtel. Tu vas devoir t'installer toute seule. Mais je serai là ce soir.

Il la gratifia d'un nouveau baiser chargé de promesses.

— Tôt, ajouta-t-il encore.

Et comme à la parade, la seconde limousine s'arrêta à cet instant précis.

Les yeux de Dominic foncèrent d'une teinte, ce qui lui conféra l'allure d'un homme protecteur et possessif.

— Évite les ennuis.

— Qu'est-ce qui pourrait bien m'arriver avec mes quatre gorilles ? demanda Abby en lui souriant.

— Je suis sûr que tu pourrais trouver quelque chose, répondit-il, avant de se tourner vers le chauffeur. Scott, au moindre pépin, vous m'appelez.

— Je n'y manquerai pas, monsieur.

Et sur un dernier baiser, Dominic sortit de la limousine pour rejoindre l'autre. Immobile sur la banquette, Abby ne parvenait pas à descendre de son petit nuage.

Elle s'approcha de la vitre de séparation entre le côté des passagers et le siège du chauffeur.

— Ça fait longtemps que vous le connaissez, Scott ?

Tout en se glissant dans la circulation, Scott lui répondit.

— Cela fait plusieurs années qu'il est mon client.

Abby avait l'impression que quelque chose ne collait pas.

— Vous voulez dire de la société de location de voitures de maître ?

Le chauffeur lui épargna un petit coup d'œil navré dans le rétroviseur.

— En fait, il se trouve que je suis le fondateur et gérant de Luros Security.

Les yeux d'Abby devinrent ronds comme des billes. C'était un nom qu'elle connaissait. Luros Security n'était plus une start-up, loin de là. L'homme qui la conduisait était au minimum multimillionnaire.

— Et vous faites chauffeur de limousine ? demanda-t-elle, sans pouvoir s'en empêcher.

— En règle générale, non, répondit-il. Mais Dominic appelle ça une « faveur ».

— Alors vous êtes là pour superviser la sécurité de ses négociations ?

— Non, répondit Scott.

Subitement, il paraissait moins certain d'être disposé à divulguer ces informations. C'est même avec une pointe d'irritation qu'il poursuivit :

— Nous avons hérité d'une autre mission.

Abby inclina la tête sur le côté avec un air interrogateur.

— Vous, en l'occurrence, précisa Scott.

Chapitre 12

— Je savais bien que ce n'était pas une bonne idée, déclara Scott lorsque l'homme à sa gauche se coucha.

Abby n'allait plus céder maintenant ; elle les avait à sa botte. *Merci, oncle Phil.* Non seulement ce brave homme lui avait enseigné à conserver un visage parfaitement impassible, mais elle avait en outre toujours eu une veine insolente aux cartes.

Un adversaire au tapis, plus que deux en lice. Assise de l'autre côté de la table de la salle à manger délicatement décorée de l'hôtel autour de laquelle ils s'étaient installés à quatre pour un après-midi de poker acharné, Abby laissa un large sourire s'épanouir sur ses lèvres.

— Il ne faut jamais laisser entrevoir ses doutes, Scott, dit Abby, avant de se tourner vers l'homme silencieux à côté d'elle. Je suis votre « choix du restaurant » et je relance d'un « choix d'activité », enchaîna-t-elle.

— Sans moi, dit l'homme en posant ses cartes sur la table, faces couvertes.

Scott n'était pas un novice au jeu, mais il avait singulièrement sous-estimé les talents d'Abby.

Lorsqu'elle leur avait proposé une petite partie, il avait d'abord répondu que cela le mettrait mal à l'aise de la plumer. «Qu'à cela ne tienne», avait-elle répliqué, en leur proposant de jouer autre chose que de l'argent. Convaincu qu'un des trois hommes au moins la terrasserait cartes en main, Scott avait donc accepté de renoncer aux jetons classiques pour miser des billets rédigés par Abby.

Ils n'avaient pas imaginé qu'elle emporterait presque toutes les levées. Et ils avaient gémi de dépit lorsqu'elle avait raflé «choix du film.»

Ne restaient donc plus qu'elle et Scott pour l'ultime face à face. Le vainqueur allait ramasser le tapis. Abby montrait un visage parfaitement impénétrable.

— Je suis votre «choix d'activité» et je relance de «une heure de silence.»

Dans tes rêves, songea Abby. Ce billet avait été proposé à titre de plaisanterie en réaction directe à «une anecdote d'enfance» qu'elle avait elle-même imposée.

— Je savais bien que ce n'était pas une bonne idée, fit remarquer Scott lorsque l'homme à sa gauche se coucha.

— Je suis votre «choix d'activité» et je relance de «une excursion non autorisée».

— Pas question que vous alliez ailleurs qu'aux endroits figurant sur la liste, Abby, répliqua Scott sur un ton qui devait d'ordinaire dissuader ses contradicteurs de poursuivre toute discussion.

— Je pensais que vous aviez du jeu, Scott. Et voilà que vous donnez l'impression de redouter ma victoire, dit-elle en haussant un sourcil.

— Si cette liste existe, c'est qu'il y a une bonne raison, Abby. Écrivez autre chose et oubliez cette option.

Du pouce, Abby corna légèrement le rebord du carton sur lequel figurait sa mise. À dire vrai, elle ne songeait à aucune destination interdite en particulier, mais ces deux dernières journées avaient fait resurgir en elle un sentiment qu'elle croyait disparu depuis la disparition de ses parents. Or, elle avait pris la décision de ne plus jamais fuir la vie. Elle ne savait pas au juste ce que cela pouvait impliquer au sujet de Dominic ou de son existence à Boston, mais là, en ce lieu et en cet instant, cela signifiait pour elle d'emporter la victoire quand toutes les probabilités paraissaient s'être liguées contre elle.

— D'accord. Si vous pensez vraiment qu'une vulgaire enseignante peut battre à plate couture trois anciens des forces spéciales à un jeu dans lequel ils prétendent exceller… alors, couchez-vous et je déchire ce billet.

— Ne fais pas ça, Scott ! dit l'un des hommes.

— Elle bluffe, dit l'autre.

— Dominic va être furieux, ajouta Scott, dans l'espoir de la faire céder.

Abby en remit une couche.

— Je n'ai pas peur de Dominic, dit-elle en posant le menton sur ses mains. Et vous ? demanda-t-elle encore avec un sourire aimable.

Pendant un instant, le visage de Scott prit une expression sérieuse, puis il répondit sur un ton où perçait malgré lui une certaine admiration.

— Abby, on prétend que Dominic aurait un peu perdu les pédales. Et c'était ce que je pensais en venant ici, mais j'ai changé d'avis. Je regrette seulement de ne pas vous avoir rencontrée avant lui.

Abby rosit – mais elle savait reconnaître une manœuvre de diversion.

— La flatterie est agréable, mais ce n'est pas ça qui me fera déchirer ce billet. Sinon, vous avez une ride au milieu du front. C'est clairement un indice que vous n'avez rien. Admettez-le.

Tout le monde retint son souffle pendant que Scott soupesait les mérites respectifs de l'orgueil et du bon sens. N'y tenant plus, il abattit ses cartes avec une confiance peut-être un peu prématurée.

— *Full !* annonça-t-il.

Abby laissa sa joie s'exprimer dans son regard avant de poser ses cartes à côté de celles de Scott, en un geste plein d'élégance.

— Une main honorable, dit-elle. Mais insuffisante. On dirait bien que mes quatre petites dames sont venues à bout de trois ex-commandos des forces spéciales.

De ses deux mains, elle ramassa les billets du pot au centre de la table – qui vinrent rejoindre sa pile déjà considérable.

Délicatement, elle préleva le carton sur lequel figurait la mention « choix d'excursion » pour le montrer aux trois hommes. Elle l'agitait joyeusement sous leur nez, sans accorder la moindre importance au fait qu'ils s'étaient effondrés sur leur chaise comme si elle venait d'asséner à chacun d'eux un coup mortel.

—Vous savez ce que ça signifie ?

On décelait dans sa voix une petite note d'autosatisfaction.

— Un tour de pédalo, répondirent les trois hommes, unanimement écœurés.

Elle prit un autre carton, incapable de refréner la joie que lui procuraient ses gains.

—Et celui-ci ?

— Est-ce que vous avez apporté des films au moins ? demanda l'un des gardes.

—Marie Duhamel a veillé à tout, répondit Abby. Il ne me reste plus qu'à choisir entre Meg Ryan et Sandra Bullock. Vous n'êtes pas du genre à pleurer en cachette, les gars ? Je commande une boîte de mouchoirs ?

Abby savait qu'elle ferait mieux d'arrêter, mais c'était vraiment trop bon. Les trois hommes avaient l'air si misérable.

Scott tira de la pile le carton auquel il s'était opposé.

— Et celui-ci ? demanda-t-il.

L'humeur redevint sérieuse un instant. Elle savait que Dominic avait donné ses instructions en pensant à la sécurité de celle qui l'accompagnait. Et si elle avait pris plaisir à gagner cette excursion, elle ne comptait pas se lancer dans une aventure délibérément téméraire. Abby secoua donc la tête.

— Il n'y a pas d'endroit particulier où je souhaite aller. C'était juste pour la beauté de la victoire.

Scott glissa le carton dans sa poche de chemise, à l'évidence bien plus rasséréné qu'il n'aurait aimé le paraître devant elle. Autour de la table, les autres hochaient la tête, et Abby comprit qu'elle venait de gagner leur respect. Elle n'avait nulle intention de leur faire courir des risques ou de leur attirer des ennuis. Elle voulait simplement s'amuser un peu sans nuire à quiconque.

En même temps, elle ne pouvait s'empêcher de se demander ce qu'ils auraient fait si elle avait voulu se rendre à une destination proscrite. Son petit doigt lui soufflait que ces hommes-là n'étaient pas toujours aussi sympathiques. Ils faisaient ce qu'il fallait pour se montrer agréables parce que Dominic leur avait demandé de se prêter au jeu. Et comme tant d'autres dans l'univers de Dominic, ils exécutaient ses ordres sans poser de questions.

D'ailleurs, en sachant cela, l'excursion en pédalo avait tout l'air d'un châtiment cruel. Mais Abby n'avait pas oublié à quel point ils avaient paru certains de l'écraser au poker. Elle se mordit la lèvre pour dissimuler son sourire espiègle. Une petite vengeance à l'occasion ne fait jamais de mal.

— Je vais me changer. Je crois qu'on peut louer des pédalos jusqu'à 17 heures, annonça-t-elle d'un ton joyeux, s'attirant en retour un concert de grognements.

Les murs de l'hôtel devaient être plus minces que de coutume, car dans la suite, Abby entendit distinctement la conversation de Scott et ses hommes après qu'ils eurent quitté la table.

— Je n'arrive pas à croire que tu lui aies raconté ce qui se dit sur Dominic, dit l'un.

— Et moi, je n'arrive pas à croire que tu lui aies dit que tu aurais voulu la rencontrer avant lui, renchérit l'autre. Si ça revient aux oreilles de Dominic, tu pourras dire adieu à ta boîte. Ça risque de faire un peu cher la blague.

— Qui t'a dit que c'était une blague ? demanda Scott.

— Ne va pas faire une bêtise, Scott.

— Je n'ai pas dit que j'allais faire quoi que ce soit. J'ai juste dit à voix haute ce que vous pensez tout bas : c'est une femme absolument incroyable.

Abby s'adossa contre la porte. Elle savait qu'elle aurait dû arrêter d'écouter, mais c'était plus fort qu'elle. En fait, au-delà des compliments, ces propos saisis au vol pouvaient contribuer à l'éclairer un peu sur les motifs de ce voyage.

— Tu crois que c'est vrai ce qu'on raconte ? Qu'il l'a rencontrée cette semaine ?

— Walton m'a chargé de suivre Dominic depuis l'annonce de la mort de son père. Et c'est la plus exacte vérité, répondit Scott.

De ses deux mains, Abby étouffa un halètement involontaire.

— Et Dominic est au courant que tu étais déjà dans son sillage quand il t'a demandé de venir ici ?

Entendre l'écho de sa propre surprise dans le ton du garde ne fit rien pour alléger le malaise d'Abby.

— Je suis à peu près sûr qu'il ne se doute de rien, répondit Scott d'un ton confiant.

— Et tu continues de rendre des comptes à Jake ? demanda l'un des gardes.

Il y eut un instant de silence assez long.

— Oui, répondit finalement Scott.

— Oh, mec, il va nous tuer s'il apprend ça.

Il y eut un bruit de piétinements suivi de ce qui ressemblait au claquement de quelqu'un projeté contre un mur. Les mains d'Abby se mirent à trembler devant sa bouche, mais elle se sentait incapable pour autant de ne pas écouter la fin de la conversation.

— Il ne va rien apprendre du tout.

Le ton aimable de Scott avait cédé la place à la voix glacée d'un homme dont les menaces sont à prendre au sérieux.

— Je n'ai pas envie de finir enterré dans une rizière, argumenta le garde.

— Tu vas la fermer ? reprit Scott toujours menaçant, mais un ton en dessous subitement, comme s'il venait de se rappeler qu'Abby était dans la pièce d'à côté. Aucun risque que ça lui revienne aux oreilles. Quant à vous deux, vous avez autant à perdre que moi. Jake n'a pas l'intention de se mettre en travers du chemin de Dominic. Personne ne va lui dire quoi que ce soit. Alors arrêtez de vous en faire.

Abby s'éloigna de la porte. D'un coup, elle n'était plus bien sûre de ce qu'elle allait faire ce jour-là.

Abby s'arrêta au point le plus élevé du pont aux Dix-sept arches pour se pencher entre deux statues de lion blanc et contempler, de l'autre côté des eaux paisibles du lac Kunming, la grande Galerie couverte qui serpentait le long de la rive. Cette construction était devant elle depuis l'entrée de la porte Est des jardins du palais d'Été donnant sur le bateau de Marbre – à partir duquel elle avait embarqué à bord d'un bac à l'élégante proue en forme de dragon. Les sombres pensées qui la taraudaient atténuaient le plaisir qu'elle avait à se promener sous des milliers de peintures anciennes. Elle s'était arrêtée dans chacun des temples et pavillons sur son chemin, mais même leur splendeur n'avait pas suffi à maintenir son intérêt.

La neuvième arche, l'arche de la chance. J'aurais bien besoin de ton aide aujourd'hui. Chiffre masculin et puissant en Chine, le neuf symbolise la fortune et la sécurité sur un pont dont on dit qu'il ressemble à un arc-en-ciel magique vu dans le lointain.

Conformément aux instructions de Dominic, Scott et ses hommes s'étaient tenus en retrait dès l'instant où elle avait prétexté une migraine. Néanmoins, leur présence permanente à proximité lui rappelait combien sa situation était précaire. Se doutaient-ils qu'elle avait surpris leur conversation ? Et dans l'affirmative, jusqu'où iraient-ils pour s'assurer de son silence ?

Il fallait qu'elle prévienne Dominic – et vite. Mais comment allait-il réagir ? *Je le connais à peine,* se rappela-t-elle, l'estomac noué par l'angoisse.

Dans quelles affaires était-il impliqué ? À ce qu'elle croyait avoir compris, c'était illégal – et Jake montait un dossier pour négocier une peine atténuée dans le cadre d'une transaction pénale pour le jour où les Fédéraux viendraient les arrêter.

Pourtant, les criminels ne discutent pas avec des représentants officiels des gouvernements.

À moins que ces officiels trempent eux-mêmes dans l'histoire.

L'un des gardes avait dit que Dominic « les tuerait. » Parlait-il au figuré, ou bien s'agissait-il vraiment de les envoyer rejoindre un monde meilleur ? Et avait-elle vraiment envie de découvrir la vérité alors qu'elle se trouvait à l'étranger sans argent, sans passeport, sans amis sur qui compter si d'aventure les choses venaient à mal tourner ?

Elle aurait dû suivre son instinct et descendre de l'avion à New York. À cette heure, elle aurait retrouvé sa vie d'avant.

Sûre.

Ennuyeuse.

Une demi-vie.

Une demi-vie vaut mieux qu'une mort entière.

Abby frissonna et posa une main sur le cou de l'un des lions. *Oui, je veux bien que tu m'accordes un peu de ta protection aujourd'hui.*

À cet instant, que l'inspiration lui ait été soufflée par l'antique gardien du pont ou par un regain de sa propre force d'âme, elle prit une décision. Elle allait choisir de faire confiance à Dominic – et donc lui raconter tout ce qu'elle savait dès son retour à l'hôtel. *Je ne laisserai plus jamais la peur guider ma vie.*

Une femme chinoise, toute menue, sortit d'un groupe de touristes pour venir s'appuyer contre le parapet à côté d'elle.

— Excusez-moi. Vous êtes mademoiselle Dartley ? demanda-t-elle dans un anglais à l'accent prononcé.

Avant même qu'elle ait eu le temps de se retourner, Abby perçut le mouvement de ses gardes du corps qui s'approchaient.

— Oui, répondit Abby, stupéfaite que quelqu'un la reconnaisse.

Quelqu'un de l'hôtel ? Aurait-elle un message de Dominic ?

— Zhang Yajun souhaiterait prendre le thé avec vous dans les salons de votre hôtel, dit la femme en accompagnant ses paroles d'une petite courbette.

Abby chercha conseil auprès de l'unique personne à qui elle pouvait s'en remettre.

— Scott?

Il évalua la situation et considéra qu'il n'y avait aucun risque.

— C'est l'une des femmes les plus en vue en Chine. Elle a fait fortune dans l'immobilier et les arômes alimentaires, je crois. Je ne pense pas qu'il y ait de problème à la rencontrer dans un lieu public.

— Je ne…, commença Abby.

Puis elle se tut. Si ce voyage était réellement le point de départ de sa nouvelle vie, alors il était grand temps qu'elle apprenne à saisir les opportunités lorsqu'elles se présentent. Quelles chances avait-elle d'avoir de nouveau l'occasion de faire la connaissance de l'une des femmes les plus influentes de la Chine?

— J'ai le temps de me changer? demanda Abby à la messagère.

— Elle vous attend en ce moment même, répondit la femme sur un ton d'excuse. Elle ne vous demande que quelques minutes de votre temps.

Un thé, voilà qui ne semblait pas prêter à conséquences. Il est rare que ceux qui s'apprêtent à enlever leur prochain ou à s'en prendre à sa vie lui offrent d'abord une boisson chaude. Mais devait-elle au préalable appeler Dominic pour l'informer? À cette heure-là, il serait peut-être en réunion avec le ministre du Commerce. Aurait-elle l'air d'une folle si elle le dérangeait pour lui demander l'autorisation de prendre un thé avec une femme probablement curieuse de voir quel genre de compagne Dominic s'était choisi ?

— Je vous suis, dit Abby en tapotant une dernière fois le lion blanc.

Il y avait du monde dans les salons de l'hôtel, mais Zhang Yajun aurait été facile à repérer dans n'importe quelle foule. La confiance qui émanait d'elle éclipsait totalement son allure austère – ses cheveux noirs étaient simplement lâchés sur ses épaules et elle portait un chemisier blanc à fines rayures. Installée à une table d'angle, elle dégageait une intense sérénité, que ne troublait nullement l'intérêt insistant des clients alentour.

Elle se leva tandis qu'Abby traversait la salle. D'un regard direct à la limite de l'impolitesse, elle évalua la jeune femme. Zhang Yajun était aux antipodes du stéréotype hollywoodien de la femme asiatique douce et docile. Son salut tenait plus du hochement de tête que de la révérence. D'un geste de la main, elle invita Abby à la rejoindre à sa petite table. Abby prit place et accepta la tasse de thé qu'elle lui servit.

— Je suis ravie que vous ayez pu venir, dit Zhang dans un anglais parfait, quoiqu'un peu guindé.

Son accent indiquait qu'elle avait suivi des études en Europe plutôt qu'aux États-Unis.

— Je suis honorée de votre invitation, répondit Abby avec sincérité.

Qui n'aurait pas eu envie de faire la connaissance d'une femme parvenue au faîte de la puissance et de la fortune dans un pays encore largement dominé par les hommes ?

— Vous êtes une surprise pour bien des gens, Abigail Dartley, dit Zhang de façon sibylline.

— Dans quel sens ? demanda Abby.

Zhang parcourut le salon du regard, en s'arrêtant brièvement sur chacun des quatre gardes chargés de sa sécurité.

— Dominic a la réputation de ne jamais mélanger le plaisir et les affaires. Est-il vrai que vous venez seulement de faire sa connaissance ?

— En quoi cela importe-t-il ? répliqua Abby.

Faites qu'elle ne dise pas que le montant de la rançon en dépend.

— Savez-vous ce qu'il est venu faire en Chine ? demanda Zhang.

La vérité est la clé de ta liberté.

— Pas vraiment.

Zhang prit le temps de croiser les doigts, choisissant ses mots avec soin.

— Dominic a réuni un pool de gros investisseurs et demandé au ministre chinois du Commerce d'ouvrir le marché des technologies numériques à Corisi Enterprises. Lorsque ce contrat sera signé, la situation de l'Internet sera révolutionnée en Chine.

À en croire certains, il y aura un ordinateur dans chaque foyer avant même une machine à laver.

— Vous n'avez pas déjà Internet ? J'ai pourtant vu des ordinateurs à l'hôtel et à l'office de tourisme.

En dépit de l'âge plus que vénérable des bâtiments, l'hôtel était équipé de tous les gadgets dernier cri qui font le luxe et le confort d'un bon établissement.

— Si, bien sûr, mais à pas à l'échelle que Dominic propose. Il a mis au point un logiciel et un réseau capables de gérer le volume de trafic que notre pays atteindra si tout le monde est connecté.

— Apparemment, ce sera profitable pour tout le monde, observa Abby, rassurée de découvrir la nature du projet de Dominic.

Une expression impatiente passa sur le visage de Zhang.

— Oui, mais ce ne sont pas les ordinateurs qui m'importent le plus. Et j'ai une certaine influence sur le ministre. D'autres entreprises sont en mesure de faire une offre comparable à celle de Dominic – en acceptant en plus de faire ce qui doit être fait. J'étais opposée à ce que le ministère conclue cet accord avec Dominic, jusqu'à ce que j'entende parler de vous.

— De moi ? demanda Abby, avec la sensation d'être Alice propulsée au pays des merveilles.

Quel rôle pouvait-elle jouer dans un grand contrat international ?

— Je crois qu'on vous aura mal informée quant à l'importance que je peux avoir aux yeux de Dominic.

Je n'ai aucune influence sur lui au sujet de la manière dont il mène ses affaires. En fait, jusqu'à ce que vous m'expliquiez, je n'avais pas la moindre idée de ce qu'il faisait.

Les paroles d'Abby ne semblèrent pas décourager Zhang.

— Lorsqu'un homme qui ne parle pas prononce son premier mot, tout le monde écoute.

Abby secoua la tête en haussant les épaules pour signifier sa confusion.

Zhang n'avait absolument pas l'air d'une femme qui prend normalement la peine de clarifier son propos ; et elle ne parut pas vraiment joyeuse d'avoir à le faire.

— Lorsqu'un homme de pouvoir aussi insatiable qu'impitoyable choisit une enseignante et assure sa protection comme s'il s'agissait du plus rare des trésors, alors tout le monde regarde.

— Que voulez-vous de moi ? demanda Abby, en coupant court au verbiage qu'elle méditerait plus tard.

Une lueur admirative passa dans les yeux de Zhang, qui se ressaisit bien vite pour renouer avec son air impassible.

— Le mieux, c'est que je vous montre. Mais pas aujourd'hui. Dominic a déjà quitté le quartier d'affaires et il est en route pour revenir. Je viendrai vous voir demain.

— Et si je refuse ?

Zhang sourit, mais Abby comprit que ces lèvres relevées aux commissures traduisaient plus le malaise suscité par sa question qu'un réel amusement. Son expérience d'enseignante au contact de différentes cultures l'aidait à vite cerner les modes de pensée de son interlocutrice.

— C'est votre droit le plus strict, mais sachez que Dominic a gagé une bonne part de sa fortune personnelle sur le succès de cette entreprise. Il pourrait tout perdre si la porte venait d'un coup à se refermer. Et seules vous et moi saurions ce qui se cache derrière l'inexplicable volte-face du ministre. Quant à tout lui raconter, je ne le ferais pas si j'étais vous. Il n'a aucune raison de vous croire.

— Et il n'a aucune raison de ne pas me croire.

À l'instant même où elle prononçait ces mots, Abby commença à douter de leur véracité. Le fait qu'ils se connaissent depuis si peu de temps justifiait à lui seul de s'interroger sur son implication dans les affaires de Corisi Enterprises. Ne venait-elle pas de passer la journée à songer à celui qu'il pouvait bien être ?

Une lueur de menace à peine voilée fit briller les yeux noirs de Zhang.

— Faites ce que vous avez à faire, mais sans mon aide, vous pourriez bien être obligée de téléphoner chez vous pour qu'on vous envoie de quoi vous payer un billet de retour.

— Je n'aime pas lui faire des cachotteries, objecta Abby, sans grande conviction.

Elle se demandait si son interlocutrice voyait à quel point elle était nerveuse. Ce n'était pas du tout comme ça qu'elle avait imaginé ses premiers pas de femme plus spontanée. Lancée comme une boule de neige dans une pente, son angoisse s'amplifiait à chaque instant. À l'usage, sa rencontre avec Zhang Yajun se révélait une aussi mauvaise idée qu'écouter aux portes les conversations entre Scott et ses hommes.

— Ne considérez pas ça comme une cachotterie…, ajouta Zhang en se levant.

Elle tendit un peu d'argent au serveur, tout en invitant d'un geste Abby à rester assise.

— … mais plutôt comme une façon d'aider votre homme sans qu'il n'en sache rien, poursuivit l'élégante Chinoise. Une noble pratique que bien des femmes ont mise en œuvre depuis les temps où nous les avons fait sortir de leur caverne. Soyez prête pour 10 heures demain matin.

Les clients du salon de thé de l'hôtel regardèrent Zhang faire sa sortie, exactement comme si elle avait été quelque vedette inaccessible. La petite foule massée devant la porte s'écarta devant elle, pleine de déférence. À l'instar de Dominic, Zhang évoluait dans un monde à part, régi par ses propres règles.

Du bout de l'index, Abby suivait les motifs raffinés de sa tasse. Scott et ses hommes faisaient le pied de grue, avec une impatience mal dissimulée, aux endroits stratégiques de l'établissement. Au sein de la clientèle chinoise, ils étaient à peu près aussi repérables qu'Abby elle-même mais, heureusement pour eux, une table de touristes anglais reprochait vertement à un serveur le manque de gâteaux pour accompagner le thé, et l'attention générale était braquée sur eux.

Abby avait beau se sentir toujours aussi peu à sa place dans l'univers de Dominic, elle n'était plus une touriste non plus. Elle n'en savait pas plus long sur les fusions-acquisitions internationales que ces Anglais sur la culture chinoise, mais elle sentait qu'elle ne pouvait plus choisir de rester extérieure aux événements.

N'était-elle pas venue jusqu'en Chine parce que Dominic avait besoin d'elle ? Si la journée écoulée avait prouvé quelque chose, c'était bien que ce besoin n'était pas uniquement émotionnel. Elle ne pouvait plus se permettre de laisser sa peur prendre le contrôle de sa vie. Dominic n'aurait jamais d'estime pour une femme qui prend la fuite devant la première difficulté. Non, si elle voulait que leur histoire réussisse, alors elle allait devoir se montrer aussi forte que Zhang.

Ce fut une révélation pour Abby. Une femme telle que Zhang ne se laisserait jamais intimider par un garde du corps. À dire vrai, il ne devait pas y avoir grand-chose capable de s'interposer entre Zhang et l'objectif qu'elle s'était fixé.

De l'autre côté de la salle, Scott pointa un index sur la montre à son poignet et, d'un geste, invita Abby à finir son thé. La jeune femme lui répondit par une grimace. Elle n'avait aucunement l'intention de quitter ce lieu aussi longtemps qu'elle n'aurait pas décidé si elle comptait accepter le rendez-vous de Zhang le lendemain. Ignorant les regards furieux de Scott, Abby se resservit une tasse.

D'un signe de la main, elle appela le serveur. Une nouvelle théière s'imposait.

Chapitre 13

Ce soir-là, à son retour à l'hôtel, Dominic scruta longuement le visage d'Abby, avant de jeter un regard noir aux gardes du corps qui sortaient prestement de la pièce.

— Tu as l'air fatiguée, dit-il.

Elle aurait pu lui retourner le compliment, mais son habituel sens de la répartie s'étiola sous l'effet de l'inquiétude sincère qu'elle lisait sur son visage.

— Je vais bien, le rassura-t-elle, refrénant à grand-peine l'envie de tout lui dire au sujet de la trahison de Scott et de la décision qu'elle avait prise au salon de thé.

— Ils te laissent faire trop de choses, dit-il d'un ton bourru en dénouant sa cravate.

Il la lança sur le dossier d'une des chaises de la salle à manger de leur suite, et y ajouta la veste qu'il venait de retirer avec un soulagement manifeste.

Il vint vers elle, sans que ses yeux ne lâchent un seul instant ceux d'Abby. La jeune femme ne savait pas si elle devait aller à lui, ou le laisser venir à elle. Ils se regardaient, brûlants de désir contenu. La seconde suivante, elle se retrouva dans ses bras, serrée contre lui, pour un baiser de retrouvailles comme elle en avait toujours rêvé. Les lèvres de Dominic implorèrent, puis exigèrent ; celles d'Abby s'ouvrirent, puis jouèrent. Il rompit leur baiser pour venir poser son front contre celui d'Abby, le souffle court.

— Qu'est-ce que tu as fait aujourd'hui ?

Abby secoua la tête pour s'éclaircir les idées. Elle avait du mal à rester concentrée lorsqu'il était près d'elle. Elle savait qu'elle devait lui parler. Mais comment lui dire ?

— J'ai exploré les jardins du palais d'Été. L'île Sud est somptueuse, dit-elle pour gagner du temps.

Il l'écarta de lui pour la regarder dans les yeux.

— Scott aurait dû alléger le programme pour le premier jour.

— C'était bien comme ça, Dominic, dit Abby, en luttant pour échapper à l'emprise de la culpabilité qui l'envahissait.

Comment aurait-elle pu douter de lui ? Bien sûr, Dominic avait une réputation à défendre dans le monde des affaires. Mais l'homme qui la regardait avec tant de tendresse dans les yeux n'avait jamais rien fait pour justifier qu'elle le craigne.

— Il faut que je te dise quelque chose, commença-t-elle, avant de s'interrompre.

Les mots ne voulaient pas sortir. Et d'abord, que devait-elle dire ? « Dom, j'ai l'impression que les gardes que tu as engagés pour me surveiller sont en fait en train de te surveiller toi. » À moins qu'elle n'attaque par le versant « business » ? « J'ai l'impression que tu penses que les négociations se déroulent bien, Dom, mais alors que je ne connais pas grand-chose à ton secteur, je vais rencontrer demain une personnalité de premier plan pour voir comment t'aider. » Abby flancha.

— J'ai gagné au poker, biaisa-t-elle.

Cela fit sourire Dominic. Du pouce, il lui caressa doucement le menton.

— Je n'ai jamais douté de toi.

De toute son âme, Abby aurait voulu pouvoir dire la même chose de lui. Mais tout au long de cette journée, elle avait laissé son imagination galopante la conduire au bord de la panique. L'heure était toutefois venue d'oublier ces craintes ridicules pour dire ce qui devait être dit.

— Dominic…, commença-t-elle.

Mais elle oublia tout lorsqu'il respira le parfum de ses cheveux comme si c'était la chose qu'il attendait depuis toujours. Puis, toutes ses pensées cohérentes se volatilisèrent lorsque les mains de Dominic commencèrent à parcourir son corps. Les gestes pleins de douceur du jeune homme étaient ceux d'un amant attentionné.

— Ce n'est pas grave si tu es fatiguée, murmura-t-il à son oreille. Mais j'ai besoin de te serrer contre moi.

Elle pouvait aussi tout lui raconter le lendemain.

Il la mena jusqu'au divan où il prit place en l'installant sur ses genoux, la tête d'Abby bien calée au creux de son cou. Elle noua les bras autour de son torse et laissa le doux battement de son cœur l'apaiser.

C'était le Dominic qu'elle avait deviné lors de leur première rencontre. Les yeux gris du jeune milliardaire étaient comme obscurcis par le fardeau de ses soucis. Elle le serra encore plus fort contre elle, cherchant quels mots dire pour alléger son fardeau plutôt que l'alourdir encore.

— Les choses se passent si mal que ça ? demanda-t-elle contre la soie de sa chemise.

Dominic lui rendit son étreinte, en soupirant doucement dans ses cheveux.

— Les négociations ? Non, ce n'est pas ça qui m'inquiète. En affaires, j'ai la main du roi Midas. C'est plutôt dans le reste que ça ne va pas.

Abby leva la tête vers lui et attendit – bien heureuse d'avoir tenu sa langue. Il s'ouvrait à elle bien au-delà de ses espérances. Elle savait que les choses n'iraient pas toujours de cette manière, mais elle savait aussi que tout tournerait court dès qu'elle aurait révélé ce qu'elle savait.

Les yeux fixés sur le mur derrière elle, comme si la regarder dans les yeux s'était soudain révélé une tâche trop difficile, Dominic lui avoua ce qu'il avait sur le cœur.

— Nicole prétend avoir trouvé quelque chose pour obtenir l'annulation du testament de mon père. Mais elle refuse de dire de quoi il s'agit. Elle prétend qu'elle préfère tout perdre plutôt que de me laisser lui venir en aide.

—Elle te ressemble beaucoup.

À peine Abby avait-elle prononcé ces paroles que les yeux gris de Dominic se rivèrent aux siens. Elle caressa la joue de son amant pour évacuer la tension de sa mâchoire crispée.

—Elle est fière, Dominic, poursuivit Abby. Et elle souffre. Que ferais-tu à sa place ?

Un sourire triste passa sur ses lèvres.

—Je lui aurais lancé son offre au visage et je serais parti monter ma propre boîte.

—C'est ce que tu as fait avec ton père ? demanda-t-elle.

Abby sentit Dominic se crisper contre elle.

—Ça n'a rien à voir. Je n'ai rien de commun avec mon père.

—Je sais ça, Dominic, murmura-t-elle – même si à dire vrai, elle n'en savait rien.

Elle se demandait bien de quoi le père de Dominic avait pu se rendre coupable pour mériter un rejet si catégorique de la part de son fils. Elle sentit la colère qui nouait les muscles du jeune homme – et comprit qu'elle avait mis le doigt sur une blessure affective ancienne mais toujours béante.

—Explique-moi, dit-elle doucement.

Dans un énorme soupir, Dominic l'étreignit encore plus étroitement, sans rien répondre dans un premier temps. Il se dégageait de leurs souffles mêlés cette impression de profonde intimité qu'on associe généralement aux instants de plénitude après l'amour, lorsque les amants s'abandonnent l'un à l'autre. Jamais Abby ne s'était sentie aussi proche de quelqu'un, pas même des hommes qui avaient partagé sa vie pendant plusieurs années. Elle se sentait émue au plus profond d'elle-même d'être spontanément unie à quelqu'un qu'elle ne connaissait que depuis quelques jours.

Finalement, lorsqu'il se mit à parler, sa voix prit des accents étrangement caverneux, comme s'il avait tout fait, à cet instant, pour se mettre à distance de lui-même.

— Je ne connaissais pas très bien mon père. Il travaillait tout le temps – mais vraiment tout le temps. Il nous gardait – Nicole, ma mère et moi – dans une grande demeure dans les Hamptons. Et si je dis qu'il nous gardait, c'est parce que c'est exactement l'impression que ça donnait. Personne ne bougeait ou même ne parlait dans la maison sans son autorisation. À l'exception de Thomas, lorsqu'il venait. C'est le seul qui ait jamais remis en question les décisions de mon père. Je crois qu'ils sont allés à l'école ensemble lorsqu'ils étaient enfants. La réussite de mon père n'a jamais impressionné Thomas.

— Et tu l'admirais pour ça.

Abby souligna l'évidence pour bien lui faire comprendre qu'elle suivait.

Dominic émit un grognement sourd pour exprimer son dégoût.

— Oui, je l'ai admiré jusqu'à ce qu'il fuie, comme tout le monde, lorsque ma mère a disparu.

— Disparu ?

Un frisson de peur parcourut l'échine d'Abby.

— Oui. L'enquête officielle a établi qu'elle nous avait quittés. D'après la police, elle avait laissé une lettre dans laquelle elle expliquait qu'elle n'était pas heureuse et demandait qu'on ne tente pas de la retrouver. Moi, je n'y ai jamais cru. Elle ne serait jamais partie sans nous dire au revoir, à Nicole et moi. Et je n'ai jamais vu cette lettre. En fait, je doute qu'elle ait existé.

Dominic caressait distraitement le bras d'Abby.

— Et ton père ne l'a pas cherchée ?

Abby ne parvenait même pas à imaginer la douleur que pouvait représenter le fait de ne pas savoir. La mort de sa mère aurait déjà été une terrible épreuve, mais une vie entière à se demander si elle était morte ou si elle avait fui devait être bien plus insupportable encore.

La main de Dominic s'arrêta.

— Un jour, il a affirmé qu'elle vivrait plus longtemps s'il ne la retrouvait pas. Et je suis sûr qu'il disait vrai. C'était un homme violent. Je n'ai jamais accepté l'idée qu'elle nous abandonne. Alors j'ai tout fait pour la retrouver malgré l'interdiction de mon père. Pour finir, ce dernier m'a posé un ultimatum : soit j'abandonnais mes recherches, soit il me déshéritait. J'ai quitté la maison ce jour-là.

À cet instant, les derniers doutes d'Abby se dissipèrent. Marie Duhamel avait mille fois eu raison de lui dire de ne pas se fier aux apparences. Il avait renoncé à tout pour partir à la recherche sa mère adorée. C'était un dévouement exemplaire.

— Et où es-tu allé ? demanda Abby, curieuse de connaître le reste de son histoire.

— Je suis resté quelques jours chez des amis, mais les portes n'ont pas tardé à se fermer lorsque la nouvelle de mes déboires s'est répandue. Mon père espérait me briser en me coupant les vivres. Ses agissements n'ont fait que renforcer ma détermination à découvrir ce qui s'était passé.

— Et Thomas ne t'a pas aidé.

Abby imagina une version rajeunie de Dominic se tournant vers l'unique figure masculine à laquelle il pensait pouvoir se fier. Mais uniquement pour être abandonné une fois de plus. Elle sentit son cœur se serrer.

Un frisson agita l'homme qui la serrait dans ses bras ; Abby en eut les larmes aux yeux.

— Je l'ai supplié de m'aider, reprit Dominic d'une voix blanche. Mais il m'a assuré qu'il valait mieux oublier certaines choses. Après tout, peut-être avait-il peur de mon père. Ou alors, il n'était pas dans son intérêt de rester trop proche de lui pendant un pareil scandale. Je ne sais pas. Après avoir quitté la maison de mon père, je ne lui ai plus jamais adressé la parole jusqu'à la lecture du testament.

—Et tu n'as jamais retrouvé ta mère ? Je n'arrive pas à croire qu'on n'ait pas exigé que ton père démontrât qu'elle était toujours en vie.

Dominic eut une moue de dédain.

—L'argent le rendait intouchable. C'est du moins ce qu'il croyait. Mais j'étais en train de l'abattre. S'il n'était pas mort, j'aurais fini par lui arracher la vérité.

—Tu crois vraiment qu'il lui a fait du mal ? demanda Abby entre ses doigts tremblants.

—Il pouvait faire preuve d'une incroyable cruauté dans les affaires. Et il oubliait souvent de laisser sa brutalité au bureau.

Dominic prit la main tremblante d'Abby dans les siennes pour l'embrasser doucement.

—Quand j'étais jeune, je pensais que c'était normal de vivre avec ce genre de colère. Que c'était le prix à payer pour atteindre le sommet et y rester.

—Oh, Dom…

Abby ne put retenir plus longtemps les larmes qui perlaient au bout de ses longs cils. Elles roulèrent sur ses joues et jusqu'à la chemise de soie.

Il les essuya d'un geste si incroyablement doux pour un homme tel que lui, que les pleurs d'Abby redoublèrent. La jeune femme avait déjà vu des hommes mal à l'aise ou exaspérés par les larmes, mais Dominic était le premier à la traiter comme une créature, délicate et précieuse, à réconforter en prenant grand soin de ne pas la briser. Mais comment avait-elle pu douter de lui ? Les larmes qu'elle versait pour lui devinrent des larmes de honte – qu'elle enfouit contre sa chemise déjà humide.

Dominic ne se souciait pas du mascara sur ses vêtements. Il la laissa sangloter doucement contre lui, repoussant les mèches devant le visage de la jeune femme. Son cœur battait la chamade.

— Ne pleure pas sur mon sort, Abby. Tu ne me regarderais pas avec autant de tendresse dans les yeux si tu connaissais la moitié des choses que j'ai dû faire pour en arriver là.

Abby renifla et releva la tête.

— Nous avons tous nos regrets, Dominic. Tout ce qui compte, c'est aujourd'hui. Ce sont les choix que nous faisons à partir de maintenant qui font ce que nous sommes.

L'air songeur, il enroula une longue boucle autour d'un de ses doigts.

— Ça a l'air si facile à t'entendre, Abby. Mais tu ne me connais pas. J'ai été si longtemps animé par la colère que j'ai oublié qui je suis sans elle. Ma sœur avait raison : tu devrais fuir. Je détruis tout ce qui est beau autour de moi.

Abby prit le visage de Dominic entre ses mains pour l'obliger à la regarder.

— Je ne te connais pas depuis très longtemps, Dominic, mais il y a une chose que je sais. Tu n'es pas aussi horrible que tu veux bien le dire, loin de là. Marie Duhamel ne te traiterait pas comme le fils qu'elle n'a jamais eu si tu étais vraiment le monstre que tu décris.

Dominic se trémoussa, mal à l'aise.

—Quand tu me regardes comme ça, j'arrive presque à croire que je pourrais être celui que tu penses que je suis. Mais les choses ne sont pas si simples. Personne n'a le droit à un essai pour ce type de rédemption.

Abby attira à elle le visage de Dominic pour murmurer contre sa bouche.

— Et j'ai besoin de croire le contraire.

Avec un gémissement, Dominic maintint ce baiser délicat contre ses lèvres. Il donnait l'impression de livrer un combat intérieur. Ses mains la tenaient sous les épaules, comme s'il avait craint qu'elle puisse s'éloigner.

— Et toi, quelle grande erreur as-tu commise ?

Abby laissa retomber ses mains sur ses genoux. C'était le moment parfait pour lui dire qu'elle lui avait caché certaines informations, en partie par peur, et en partie par égoïsme.

Dis-lui tout.

Mais si Zhang avait raison ? Et s'il ne la croyait pas ? *Suis-je prête à le perdre ce soir ?*

Elle ouvrit la bouche pour tout lui avouer. Puis elle décela l'expression dans ses yeux et se tut. Lorsqu'ils se posaient sur elle ainsi, tout assombris par l'émotion, elle imaginait presque qu'il était sur le point de lui faire une déclaration.

Je vais tout lui dire, j'ai seulement besoin d'un peu de temps.

— Après la mort de mes parents, je n'ai commis que des erreurs. J'avais le sentiment que si je donnais l'impression de savoir ce que je faisais, Lil se sentirait plus en sécurité. Mais quand elle avait vraiment besoin de moi, je la jugeais et je lui faisais la morale au lieu de l'écouter. Je la traitais comme si elle était incapable de prendre la moindre décision toute seule. Chaque fois qu'elle commettait une erreur, je l'humiliais. Chacun de mes actes piétinait sa confiance en elle. Je sais aujourd'hui que je ne faisais que la pousser vers ces erreurs. Si je ne t'avais pas rencontré, j'aurais sans doute fini par la perdre. J'espère qu'une seconde chance me sera offerte de réparer ce que j'ai fait.

— Ma chère, vous me terrifiez, dit-il en enfouissant son visage dans le cou d'Abby.

— Je croyais que je t'apaisais, répliqua-t-elle en levant vers lui des yeux surpris.

Il l'enleva de ses genoux pour se lever. D'un geste nerveux, il se passa une main dans les cheveux.

— C'était égoïste de ma part de t'emmener en Chine. Je ne voudrais pas que tu penses…

Malgré l'effroi qui s'empara d'elle, Abby s'approcha de lui et le fit taire d'un doigt délicatement posé sur ses lèvres. *Je suis une grande fille. J'ai cessé de croire depuis longtemps aux contes de fées.* « *Ils se marièrent et eurent beaucoup d'enfants…* »

— Tout va bien, Dominic…

Il prit ses deux mains dans les siennes et se renfrogna.

— Qu'est-ce qui va bien au juste ?

Elle dégagea ses mains et s'efforça de soutenir son regard ombrageux.

— Tu n'as pas à t'inquiéter. Je ne ferai pas de scandale lorsque nous serons rentrés. Et je ne regretterai pas cette escapade, Dominic, quoi qu'il puisse se passer entre nous.

C'est la vérité. Il faut qu'il en soit ainsi.

La mine de Dominic s'assombrit encore. La déclaration d'Abby n'avait pas provoqué le soulagement qu'elle avait escompté. Ah, l'ego des hommes ! Ainsi, lui pouvait se permettre de lui dire de ne pas s'imaginer que ce voyage était autre chose qu'une passade, mais pas question qu'elle l'accepte simplement.

Tu croyais que j'allais me rouler à tes pieds en te suppliant de rester, Dominic ? Tu connais bien mal les filles Dartley.

— Prends ça comme un compliment, Dominic. Tu seras toujours la référence à laquelle devront se mesurer les hommes que je rencontrerai à l'avenir, déclara Abby.

Il la saisit par les bras et la tint immobile devant lui. Sa poigne légère contredisait l'éclat métallique dans son regard. Il semblait être sur le point de dire quelque chose.

L'espace d'une seconde, Abby se laissa aller à espérer. Se pouvait-il qu'il puisse être jaloux de l'idée d'Abby avec un autre homme ? Le cœur de la jeune femme se mit à battre la chamade.

À quoi ça pouvait ressembler d'être aimée par un homme aussi intense que Dominic ? *Non, arrête.*

Dominic est l'homme transitionnel – l'inspiration à retenir pour ta quête dans la vraie vie. Les hommes comme Dominic ne se casent pas.

À moins que…

Dominic n'avait rien de comparable à tous ceux qu'elle avait connus avant. Tous auraient craqué sous la pression financière et émotionnelle que le père de Dominic avait imposée à son fils. Mais Dominic avait continué de chercher sa mère malgré les oukases – allant jusqu'au sacrifice de son héritage. Voilà qui en disait long sur sa force de caractère. Et sa réussite financière traduisait une ténacité qu'Abby ne pouvait s'empêcher d'admirer. Dominic partait conquérir ce qu'il voulait, quels que soient les risques.

Pour autant, pourrait-il se contenter du type de vie dont Abby avait besoin ? Ce qu'elle désirait par-dessus tout, c'était une union réussie comme celle de ses parents. D'une certaine manière, il était bien difficile de l'imaginer en train de l'aider à organiser la fête pour le premier anniversaire de leur enfant. Où Abby pourrait-elle trouver sa place dans une vie aussi trépidante que celle de Dominic ?

Elle posa une main sur son torse – et son esprit se mit aussitôt à vagabonder sous l'effet des pectoraux d'acier qu'elle pouvait sentir à travers la soie.

— Tu n'es pas obligé de dire quoi que ce soit, Dominic. Sincèrement, je te suis reconnaissante de ce voyage.

— Je ne veux pas de ta gratitude, répondit-il dans un grognement.

Il l'attira contre lui et il n'y avait plus à s'interroger sur ce qu'il voulait vraiment.

Il ne l'aimait peut-être pas, mais il la désirait. Personne n'aurait pu nier l'urgence de sa passion – qui mettait à mal les coutures de son pantalon. Pour tout dire, Abby doutait que Dominic lui-même sache au juste ce que leur réservait l'avenir à leur retour aux États-Unis.

Alors arrête de te poser des questions et profite de l'instant présent pour une fois.

Il ne lui appartiendrait peut-être pas pour la vie, mais ce soir-là il était tout à elle. Lentement, Abby déboutonna son chemisier – qu'elle laissa choir à ses pieds.

— Depuis l'instant où je suis entrée dans cette suite, je me demande pourquoi quelqu'un a mis une baignoire au beau milieu du salon.

Une expression toute différente parut sur le visage de Dominic, chassant sa mine maussade. Il lui fit ce sourire radieux qu'elle commençait à reconnaître comme étant la preuve qu'elle avait le pouvoir de chambouler les pensées de Dominic – aussi vite que lui-même pouvait semer la panique dans les siennes.

— Pourquoi ai-je l'impression que tu n'es pas aussi fatiguée que je le pensais ? demanda-t-il d'une voix rauque.

Abby se frotta contre lui – et fut récompensée par un frisson qui lui donna envie de glisser ses mains vers le bas pour libérer son amant. Mais elle savait comment s'y prendre pour l'exciter davantage.

— Je ne suis pas sûre de bien comprendre, fit-elle remarquer en reculant d'un petit pas.

Il avançait et elle reculait, d'un petit pas sensuel à la fois, de plus en plus nettement en direction de la chambre. Dans leur sillage, il y avait la chemise de Dominic, ainsi que sa ceinture qui n'avait pas tardé à la rejoindre.

— Tu sais à quel point tu m'ensorcelles ? murmura-t-il. Au beau milieu de la réunion, je t'imaginais ici, en train de m'attendre, et j'avais du mal à me concentrer sur les concessions qu'ils proposaient.

Les jambes d'Abby se heurtèrent au rebord du lit. Les baisers de Dominic descendirent du cou d'Abby vers ses épaules.

— Pas de bain alors ? gazouilla Abby.

La barbe de fin de journée de Dominic picotait la peau tendre d'Abby, à mesure qu'il couvrait de baisers les parties de son corps qu'il dénudait. La bouche du jeune homme l'enflammait.

— Plus tard, marmonna-t-il contre un sein – dont il prit doucement le mamelon dans sa bouche.

Il le suçota, le mordilla délicatement et passa sa langue sur le pourtour de la pointe dressée. Lorsqu'elle crut qu'elle n'en pouvait plus, Dominic s'intéressa à l'autre sein, répétant l'opération jusqu'à ce qu'Abby soit littéralement pantelante.

La langue de Dominic suivit la courbe légèrement arrondie de son ventre jusqu'au tissu du pantalon. Sans ôter un seul instant ses lèvres de la peau d'Abby, Dominic s'agenouilla et descendit pantalon et string de dentelle. Sans vêtement pour lui faire obstacle, il écarta doucement les lèvres intimes d'Abby et fit glisser sa langue en elle. Emportée par le rythme de cette caresse, Abby sentit ses jambes céder. Dominic la retint pour la déposer doucement sur le lit. Il ouvrit plus encore les cuisses de la jeune femme pour approfondir son exploration.

Abby se tortillait et attrapait les draps à pleines mains. Dominic la menait vers le plaisir avec une attention méthodique et implacable. Sa langue plongeait et léchait avec une insoutenable précision, tandis que ses doigts experts la tourmentaient jusqu'à la conduire au bord de l'exaltation folle et sauvage. Les mains de Dominic se refermèrent sur les fesses d'Abby, tandis que les cris de la jeune femme emplissaient la chambre. De longs frissons agitaient le corps d'Abby. Dominic tourna la tête pour déposer de petits baisers à l'intérieur de ses cuisses.

Dominic se releva, déboutonna son pantalon et ôta celui-ci d'un geste fluide. Abby aurait pu se sentir vulnérable, ainsi exposée à lui, allongée sur le lit, mais au lieu de cela, elle éprouvait un sentiment de puissance et de libération. L'envie qu'il avait d'elle le faisait chanceler ; l'espace d'un instant, il fut même complètement à sa merci.

— Dis-moi que tu y pensais toi aussi, murmura-t-il d'une voix éraillée.

Abby roula vers le milieu du lit, au milieu des oreillers et des coussins.

— Tu sais, j'ai eu beaucoup à faire, rétorqua-t-elle en battant des cils, avec une moue de coquette en plein badinage amoureux.

Il bondit sur elle avec la souplesse d'une panthère. L'une de ses mains suivit la courbe de la taille d'Abby, puis un doigt se perdit dans la touffeur humide.

— Petite menteuse, gronda Dominic, dont le souffle chaud inonda le cou d'Abby.

Abby réprima un halètement et Dominic sourit. Si Abby avait songé à une réplique, celle-ci se perdit ; le doigt de Dominic reproduisait le rythme qu'il avait imprimé à sa langue pour conduire la jeune femme jusqu'au sommet du plaisir. Il se plaça au-dessus d'elle, les yeux rivés à ceux brillants de désir d'Abby.

— Il n'y aura jamais d'autres hommes, dit-il avant de plonger en elle.

Ses mots se perdirent presque, tandis que les mouvements de ses reins déclenchaient d'incessantes vagues de plaisir. Abby se balançait contre lui et ses cris peuplaient toute la pièce. À peine s'était-elle remise, qu'elle sentit son intimité se contracter de nouveau. Dominic s'était retiré et titillait doucement l'ouverture. Il planta ses yeux dans ceux d'Abby et la pénétra de nouveau. Il savait quand aller de l'avant et quand marquer la pause pour que l'intensité gravisse encore quelques degrés. Abby savait exactement quand il fallait en faire autant. Il frissonna contre elle lorsque le plaisir les saisit en même temps, et ils s'écroulèrent dans les bras l'un de l'autre.

Épuisés, ils restèrent étendus les jambes entrelacées, tandis que leurs souffles s'apaisaient à l'unisson, en cet instant bienheureux et suspendu. Trop vite, Dominic tira un drap sur eux, roula sur le côté et se mit en appui sur un coude pour regarder le visage d'Abby. L'émotion rendait ses yeux sombres et brillants.

— Je ne veux pas te faire de mal, Abby.

Ce qui était sans doute sa manière de dire qu'elle ne devait pas accorder trop d'importance à ce qu'il avait dit dans le feu de la passion. Abby n'était pas encore prête à se lancer de nouveau dans cette conversation.

— Alors ne me fais pas de mal, répondit-elle en passant un doigt léger sur la lèvre de son amant.

Il ouvrit la bouche pour dire quelque chose qu'elle était certaine de ne pas vouloir entendre. Elle réagit instinctivement. D'une main posée sur son torse, elle fit malicieusement basculer Dominic sur le dos et commença à l'embrasser. Ils auraient le temps de discuter le lendemain, et de mettre un terme au conte de fées, lorsqu'ils prononceraient ces mots qu'il était préférable de taire cette nuit.

Contrairement à Cendrillon, Abby avait jusqu'à l'aube pour goûter au bonheur de son histoire. Ce que

Dominic avait à dire fut bien vite oublié, tandis que les baisers d'Abby arrivaient sur la poitrine du jeune homme – avant de poursuivre leur chemin vers le bas.

Chapitre 14

Au réveil d'Abby, Dominic était parti.

Merde.

En hâte, elle se doucha et s'habilla. À plusieurs reprises, elle prit le téléphone pour appeler Dominic – avant de reposer le combiné sans même avoir composé le numéro. Elle n'avait aucun moyen de savoir à quelle phase des négociations il en était, ni même s'il était en mesure de prendre un appel. Elle ne voulait surtout pas être la cause d'un éventuel échec commercial.

J'aurais dû lui parler la nuit dernière.

Si elle s'était abstenue avant leur inoubliable séance – la plus intense de son existence – elle aurait au moins dû le faire avant qu'ils ne sombrent dans le sommeil dans les bras l'un de l'autre. En manquant à cette obligation, elle s'était mise dans l'impossible situation d'avoir à décider toute seule de la manière de gérer Zhang.

Dave – l'un des hommes de l'équipe de sécurité de Scott – lui demanda si elle se sentait bien.

Bien ? Non, pas bien. Mais je ne peux rien te dire à toi non plus.

— J'ai juste un peu faim, répondit Abby.

Zhang avait dit à Abby que ce qu'elle comptait lui montrer pouvait aider Dominic. Mais comment être sûre qu'elle avait dit la vérité. Et s'il s'agissait simplement d'un stratagème pour manipuler le cours des négociations – exactement comme Dominic l'en avait avertie ?

Abby se mâchonna la lèvre, tandis que son débat intérieur faisait rage. En temps normal, elle faisait confiance à son intuition. Et là, son instinct lui disait qu'elle pouvait se fier à Zhang. Pour finir, Abby prit une décision et attrapa son petit sac, avant d'avertir qu'elle avait envie d'aller déjeuner dans la salle de restaurant pour changer. Sans attendre que Dave ait fini de prévenir les autres par radio, elle ouvrit la porte de la suite et mit pleinement à profit son avance au démarrage.

Abby atteignit le hall de l'hôtel avant que Scott et ses hommes commencent à se douter de quelque chose. Ils se précipitèrent vers elle à l'instant où le chauffeur de Zhang s'approchait pour se présenter. Scott et ses quatre gardes ne parvinrent à les cerner qu'à l'extérieur de l'établissement, devant la grande porte. Scott l'attrapa par le bras alors qu'elle était à côté de la limousine. À l'évidence, l'agent commençait à s'affoler.

— C'est une mauvaise idée ! s'exclama-t-il, hors d'haleine.

—C'est vous qui m'avez dit que Zhang avait une excellente réputation et qu'elle n'était pas dangereuse, lui rappela Abby.

Et quoi que Scott puisse dire, elle était fermement résolue à découvrir par elle-même en quoi elle pouvait aider Dominic.

D'un geste, il ordonna à ses hommes de se déployer autour d'elle.

—Oui, pour prendre le thé avec elle à l'hôtel. Pas pour ça. Ça ne me dit rien qui vaille.

Comme les choses peuvent changer en une journée. La veille, avant qu'elle surprenne la conversation entre Scott et ses hommes, elle aurait écouté son conseil sans se poser de question. Désormais, il n'était guère plus qu'un obstacle entre elle et la vérité. D'un geste déterminé, elle tira pour libérer son bras de l'étau dans lequel il le tenait.

—J'y vais. Appelez Dominic si ça vous chante. Et si vous ne voulez pas d'une bagarre internationale en place publique, je vous recommande de me laisser partir.

—Je vous croyais plus sensée, Abby, dit-il d'un ton de reproche sans toutefois la lâcher.

—Il faut se méfier des premières impressions, répliqua-t-elle.

Abby aurait voulu pouvoir lui dire qu'elle savait tout de sa loyauté pour le moins élastique, mais elle était assez fine pour garder cette information pour elle. Au lieu de cela, elle récupéra son bras d'un coup sec pour se glisser par la portière ouverte. Dans la précipitation, Scott décida de rassembler sa troupe pour prendre le sillage de la limousine de Zhang.

Après une brève prise de bec avec la propre équipe de sécurité de la milliardaire chinoise, une sorte de trêve fut déclarée et la limousine s'inséra dans la circulation, escortée de plusieurs 4×4 appartenant aux deux forces en présence.

Dans son tailleur sombre pimpant, Zhang avait tout de la femme d'affaires. Comme elle s'était baissée pour ranger des papiers dans une sacoche souple à ses pieds, ses cheveux noirs et brillants lui dissimulaient en partie le visage. Sans plus de cérémonie, elle retira ses lunettes pour les glisser soigneusement dans une poche latérale de sa serviette, sans quitter Abby du regard un seul instant.

Le cliquetis métallique de la portière se refermant résonna dans l'habitacle. Le lourd véhicule démarra en douceur pour s'éloigner de l'hôtel *Aman*, sans qu'aucune destination n'ait été annoncée. Abby portait un ample pantalon dans les tons bruns et un chemisier bleu clair d'allure classique. Elle avait veillé à choisir une tenue à la fois confortable et appropriée à ce qui allait suivre – sans savoir au juste ce que cela pouvait bien être.

—Où m'emmenez-vous ? demanda Abby.

La peur évidente qu'elle décela dans sa propre voix lui arracha une grimace.

—Considérez cela comme une sortie pédagogique.

Si Zhang parut amusée de sa plaisanterie, Abby ne partageait pas son humour. La Chinoise lui lança un regard agacé.

— N'ayez pas peur. Vous ne courez aucun danger. Et vous serez rentrée à votre hôtel bien avant le retour de Dominic.

Abby inspira profondément pour se calmer. La panique n'aiderait personne dans la situation présente. Il ne s'agissait pas d'elle en cet instant, mais de Dominic. Si Zhang avait voulu lui faire du mal, elle n'aurait pas laissé Scott et ses hommes leur coller aux basques. Et même si ceux-ci répondaient aux ordres douteux de Jake, il y avait peu de chances qu'ils laissent quoi que ce soit arriver à celle qu'ils étaient chargés de protéger. En imaginant qu'Abby ne rentre pas, il leur faudrait encore affronter la colère de Dominic. Néanmoins, cette pensée ne la réconfortait pas complètement.

— Vous ne pouvez pas m'en vouloir d'avoir peur.

Zhang hocha doucement la tête et regarda par la fenêtre. Ses ongles parfaitement manucurés tapotaient doucement la surface d'une petite tablette intégrée.

— En fait, votre peur confirme votre intelligence, et votre présence reste une source d'étonnement.

Malgré elle, Abby serra convulsivement ses mains à plusieurs reprises. Lorsqu'elle en prit conscience, elle déploya des trésors de volonté pour rester immobile.

— Vous avez dit que vous aviez quelque chose à me montrer. Quelque chose d'important.

— Comment êtes-vous devenue si courageuse, mademoiselle l'enseignante ? demanda Zhang en fixant de nouveau son regard sur elle.

Abby répondit sans ciller.

— Dans les établissements où j'enseigne, mieux vaut ne pas se laisser facilement intimider.

D'évoquer son quotidien, Abby sentit qu'elle se détendait. Bien sûr, elle était toujours dans un pays étranger, emportée vers quelque lieu inconnu en compagnie d'une femme dont elle ne savait pas quoi penser, mais sa vie avait été tout autant exposée la dernière fois qu'elle avait séparé deux adolescents en train de se battre, avant de découvrir que l'un d'eux était armé d'un couteau. Or, travailler avec des adolescents difficiles avait toujours été une vocation pour elle. *Certaines choses en valent la peine, tout simplement. Comme aujourd'hui.*

— Alors pourquoi le faites-vous ? demanda Zhang, comme si la réponse à cette question pouvait également répondre à d'autres interrogations.

— Parce que ce que je fais est important. Parce que si je ne dialogue pas avec ces enfants, il y a peu de chances que quelqu'un d'autre le fasse.

Zhang parut agréablement surprise par la réponse d'Abby.

— Alors vous allez comprendre ce que je vais vous montrer.

Ils avaient quitté la zone touristique pour gagner le centre de Pékin, où alternaient les grands immeubles de verres et les petits parcs boisés. D'innombrables personnes s'agitaient en tous sens dans les structures modernes, comme à New York, mais les rues étaient plus larges et les tenues des gens plus uniformément sages.

La balade de Zhang leur fit traverser la zone de l'université de Pékin. Zhang expliquait chacune des scènes qu'elles apercevaient. La limousine s'arrêta un instant à proximité d'un petit groupe de femmes assises dans l'herbe devant le campus.

— L'université de Pékin regroupe plus d'une centaine de facultés et autres filières. Une bonne part des jeunes gens de la ville, garçons et filles, y suivent des cours. Leur avenir recèle désormais des possibilités infinies. L'éducation est la clé de l'indépendance – celle des femmes en particulier.

— Je n'imaginais pas à quel point Pékin était une ville moderne, confessa Abby. Je suis tellement accoutumée aux images d'Épinal véhiculées par le tourisme.

Zhang ne parut pas surprise le moins du monde. D'un vague geste de la main, elle désigna le pays d'Abby à des milliers de kilomètres.

— C'est l'idée que se font bien des Américains. Oui, nous tenons à notre culture et nos traditions, mais nous avons aussi une nouvelle vision de la modernité. Malheureusement, comme il arrive aussi chez vous, le rythme de notre évolution est tel que nous ne prenons pas toujours de sages décisions. Par exemple, la ville de Pékin est aujourd'hui confrontée aux mêmes tempêtes de sable que celles qui frappaient les États de l'Ouest de votre pays. En dehors des villes, l'agriculture reste l'unique moyen de subsistance de bien des gens, ce qui a entraîné une érosion de la couche superficielle de nos sols. Les choses doivent changer, mais pour ceux qui vivent de l'agriculture et de l'élevage, les anciennes coutumes demeurent l'unique solution de survie. Il n'y aura de véritable changement que si nous nous engageons à éduquer, former et employer une part croissante de ces populations.

La limousine mit le cap vers l'extérieur de la ville. Les larges artères bitumées devinrent des pistes poussiéreuses serpentant entre les collines.

—Jusqu'où allons-nous ? demanda Abby.

—À un peu plus d'une heure de route de Pékin, répondit Zhang avec un petit haussement d'épaules. Il y a là-bas quelqu'un qui souhaiterait faire votre connaissance. Elle possède l'unique magasin de Saun Li.

Elles passèrent ensuite devant une petite exploitation, une simple construction rectangulaire toute blanche avec un toit de tuiles rouges. Seuls les quelques petits animaux disséminés dans l'herbe alentour et la petite colline pierreuse qui la flanquait rappelaient sa fonction agricole. De l'autre côté de la route, un âne paissait au milieu de la végétation rase.

Si leur périple avait été une promenade d'agrément, Abby aurait demandé qu'on arrête la voiture. Au loin, elle apercevait un homme assis sur un rocher en train de surveiller un petit troupeau de moutons. La vareuse bleu foncé et le pantalon noir qu'il portait ne formaient pas la tenue qu'elle avait imaginée être celle d'un petit berger chinois.

— Il s'appelle Xin Yui, expliqua Zhang — à qui l'intérêt d'Abby n'avait pas échappé. Il partage son temps entre son travail à la ville et la ferme de ses parents. En zone rurale, certaines familles ont droit à plusieurs enfants, mais lui assume tout seul la charge de ses parents. S'il a de la chance, son travail lui permettra de les faire venir avec lui en ville, même si je doute qu'ils y aillent de bon gré. Cela fait des générations que leur famille est installée sur cette terre.

Le cœur serré, Abby regarda la petite ferme disparaître au loin.

— On dirait que vous le connaissez.

— Je suis née dans cette région, répondit Zhang un peu sèchement, avant de se détourner de la fenêtre — et de ses souvenirs. Je vous emmène voir Wen Chan. Elle est allée à l'université juste ce qu'il faut pour apprendre comment lancer une petite affaire. L'argent qu'elle gagne avec son magasin lui permet de nourrir toute sa famille. Et il lui a permis aussi de quitter un mari violent. Autrefois, la misère l'aurait contrainte à rester avec lui.

À l'approche d'une petite ville, qui paraissait surgie de nulle part, la route sinueuse s'élargit et s'aplanit. Une petite vingtaine de bâtiments constituaient ce que Zhang considérait comme une ville. Au centre, il y avait un petit marché couvert où l'on vendait des produits alimentaires, complété d'un modeste étal, orné d'un calligramme tracé à la main. Abby devina qu'il devait s'agir du nom de famille de Wen. Des hommes et des femmes discutaient aux abords de la place centrale.

Debout sur le seuil du commerce, une femme vêtue d'un pantalon et d'une blouse de coton brun regardait la limousine en train de se garer. Zhang ordonna au chauffeur et à ses hommes de rester auprès des véhicules. Abby la suivit dans la poussière.

La marchande les fit entrer dans sa boutique et fit une remarque en mandarin. L'affection qu'elle manifestait envers son hôte de marque traduisait une familiarité qui surprit Abby. L'intérieur de l'échoppe était propre, mais ne contenait guère que quelques rayonnages proposant des produits alimentaires et autres produits de base.

Abby inclina la tête en guise de salut. La femme la salua en mandarin. Abby lui répondit dans la langue d'usage commun dans toute la Chine.

— *Ni hao.*

Depuis l'autre côté du magasin, Zhang se retourna pour la regarder.

— Vous parlez le mandarin ? demanda-t-elle à Abby dans cette même langue.

— Un petit peu, répondit Abby toujours en mandarin, avec un petit haussement d'épaules.

— Comment ça se fait ? demanda Zhang.

— J'enseigne l'anglais à des adolescents qui viennent du monde entier. J'ai toujours aimé les langues.

Selon sa propre échelle, Abby était capable de se faire comprendre dans la rue en sept langues différentes. Certes, ce n'était pas un niveau universitaire, mais elle comprenait et pouvait se faire comprendre sur des sujets relativement simples, ce qui lui permettait souvent de venir en aide à des familles non anglophones. C'était précisément l'une de ces familles qui l'avait accueillie chez elle pour la remercier, et lui avait enseigné les rudiments de cette langue qu'ils appelaient le chinois simplifié.

— Vous vous débrouillez très bien, constata la commerçante.

— Votre maîtrise des tons est impressionnante, renchérit Zhang.

Abby avait déjà été complimentée par des parents de certains de ses élèves d'origine chinoise. Son vocabulaire était limité, mais elle avait une bonne oreille pour ce qu'elle appelait « la musique des langues ». Le plus difficile dans l'apprentissage du mandarin était qu'un même mot pouvait avoir plusieurs significations, selon la partie de ce mot qu'on accentuait. Heureusement, ses professeurs autoproclamés avaient su se montrer patients.

— Je baragouine à peine, dit Abby. Mais merci.

Sur un signe de Zhang, Wen Chan expliqua lentement en quoi l'éducation qu'elle avait reçue lui avait permis de s'affranchir et de subvenir à l'existence des siens. À plusieurs reprises au cours de son récit aussi poignant qu'édifiant, elle jeta un regard en direction de Zhang ; Abby en conclut qu'elle voulait la remercier pour une raison ou une autre. Abby ne comprit pas tous les mots, mais elle en saisit suffisamment pour poser quelques questions.

— Vous n'êtes pas ce à quoi je m'étais attendue de la part d'une Américaine, reconnut Zhang à contrecœur.

Lorsqu'elle ne trouvait pas ses mots, Abby repassait à l'anglais pour exprimer sa pensée.

— Je crois que nous avons toutes les deux appris aujourd'hui qu'il ne fallait pas faire de généralités. Je suis sûre que bien des Américains ne soupçonnent même pas l'étendue des évolutions culturelles de votre pays.

Zhang traduisit pour Wen, avant de repasser à l'anglais.

— Maintenant que vous avez identifié nos besoins, accepterez-vous de nous aider ?

Abby se balança d'un pied sur l'autre, mal à l'aise sous le regard des deux femmes.

— Que voulez-vous que je fasse ?

Dans son mandarin rapide, Zhang promit à la marchande de revenir bientôt. Abby la remercia ensuite de lui avoir fait découvrir son commerce. Puis, sans répondre à la question, Zhang ramena Abby à la limousine – pour le plus grand soulagement de Scott et de ses hommes.

Zhang attendit que les véhicules soient de nouveau sur la piste de montagne pour répondre.

— Si les femmes ont réussi à surmonter bien des obstacles dans les villes, le financement pour l'éducation des filles demeure insuffisant dans les zones rurales. Je suis déterminée à changer ça.

— Je croyais que l'accès à l'université était gratuit ? s'étonna Abby.

— Gratuit, c'est encore trop cher pour ceux qui sont obligés de travailler pour survivre. L'enseignement primaire est obligatoire pour tous, mais les familles retirent toujours les filles de l'école dès l'âge autorisé. Même les familles qui veulent le meilleur pour leurs filles n'ont pas les moyens de continuer à les scolariser. Quelqu'un doit payer pour qu'elles puissent se nourrir et se loger. Oui, la gratuité peut se révéler bien onéreuse.

Abby repensa à la marchande qu'elle venait de rencontrer, en comprenant mieux ce que cette femme avait réussi à accomplir.

— Vous songez à une fondation qui attribuerait des bourses ? Et vous voudriez que je demande à Dominic d'y apporter sa contribution ?

— Il faut quelque chose de bien plus grande envergure, répondit Zhang. Pour obtenir un véritable impact, il faut une action à l'échelle du pays tout entier, mise en place par le gouvernement et assortie d'un financement stable et garanti. Or, Dominic est précisément en position de demander à nos autorités de le faire. Il pourrait ajouter cette disposition à la liste de ses demandes. Il est en mesure d'influer positivement sur la vie de millions de femmes, qui sans cela continueraient de se débattre dans la pauvreté.

— Pourquoi n'allez-vous pas lui parler directement, Zhang ? Il vous écouterait.

— J'ai essayé, répondit Zhang en faisant la moue. Dominic n'a jamais montré le moindre intérêt pour les populations des pays avec lesquels il commerce. Il est venu en Chine pour l'argent et le pouvoir. Pas pour contribuer à une évolution sociale. Mais vous… vous avez son oreille. Il se pourrait qu'il vous écoute comme jamais encore il n'a écouté quelqu'un.

— Excusez-moi, Zhang, mais je crois que vos informations me concernant sont erronées. Ça ne fait même pas une semaine que je connais Dominic. Il ne prendra jamais une décision en fonction de mon opinion.

Le simple fait de prononcer ces paroles faisait souffrir Abby. Mais Dominic ne venait-il pas de la mettre en garde sur l'avenir de leur relation ?

Zhang la transperça de ses yeux noirs qui voyaient tout. Elle haussa un sourcil dubitatif.

— Je ne vous ai pas prise pour une imbécile, Abigail Dartley. N'imaginez pas que je le suis. Dominic n'a pas l'habitude de mélanger les femmes et le travail, mais il a fait une exception pour vous. Ne sous-estimez pas votre importance à ses yeux. Il ne vous a peut-être pas encore avoué ses sentiments, mais en vous amenant ici, il fait une annonce au monde entier.

Oh, comme Abby aurait voulu la croire ! Cependant, elle connaissait la vérité.

— Ce qu'il a annoncé, Zhang, c'est qu'il n'aime pas être seul quand il est triste. Et en ce moment, il fait le deuil de son père.

À l'évidence, Zhang ne la croyait pas.

— Et c'est ça que vous avez fait toute cette semaine ? Vous l'avez soutenu pendant qu'il pleurait ?

Abby se tourna brusquement vers Zhang. Son ton devint glacé.

— Voilà qui ne vous regarde pas. Absolument pas.

Nullement émue, Zhang poursuivit placidement.

— Oh mais si, ça me regarde. La relation que vous entretenez avec lui me concerne au plus haut point. Que ça vous plaise ou non, votre lien avec Dominic vous donne un rôle à jouer dans la révolution culturelle que traverse la Chine. Les décisions que vous prendrez auront une incidence sur l'avenir de milliards de personnes.

— C'est bon, ça ne me met pas la pression, murmura Abby pour elle-même.

Elle n'en revenait pas. À peine avait-elle renoncé à la responsabilité écrasante d'élever sa sœur toute seule qu'on lui reprochait les difficultés d'accès à l'éducation d'une multitude de femmes chinoises. C'était tellement énorme que cela échappait à son entendement.

— Qu'attendez-vous de moi au juste ? Vous voulez que Dominic négocie la mise en place d'une bourse officielle pour l'éducation des femmes ?

— Oui. Et qu'il finance le programme en reversant à titre de donation cinq pour cent des bénéfices annuels de Corisi Enterprises.

Abby contempla le paysage par la fenêtre. Les collines disparaissaient rapidement dans leur sillage. Bientôt, ils rejoindraient un grand axe et fonceraient vers l'hôtel. Elle se demanda comment se déroulaient les négociations de Dominic pour cette journée. Ce soir-là, elle n'aurait plus aucune excuse. Elle serait forcée de lui raconter tout ce qui s'était passé. *Et advienne que pourra.*

Dominic n'allait pas être content lorsqu'il apprendrait les malversations de Scott. À coup sûr, il n'allait pas apprécier qu'elle ait quitté la ville en compagnie de quelqu'un qui pouvait s'avérer être un concurrent. Dans cette affaire, elle n'avait que la parole de Zhang.

Seulement, si Zhang disait vrai, comment Abby pourrait-elle ne pas exposer l'idée à Dominic ?

Elle devrait, d'une façon ou d'une autre, amener la proposition de Zhang dans la conversation. Mais elle ne voulait pas nourrir les espoirs de la milliardaire chinoise, lui donner à croire qu'elle pourrait réussir à le convaincre.

— Je ne vous garantis rien, mais je peux toujours essayer, dit Abby en se retournant pour affronter le regard de Zhang. Il ne voudra peut-être pas m'écouter, mais je vais lui parler de notre rencontre et de ce que j'ai appris aujourd'hui. Peut-être même que je pourrais l'emmener voir Wen. Je sais quelle impression il produit quand on le rencontre pour la première fois, mais Dominic sait aussi se montrer attentionné. Il accueillera plus favorablement votre demande lorsqu'il aura pu juger par lui-même.

— Vous êtes encore mieux que ce que je pouvais espérer lorsqu'on m'a parlé de vous, déclara Zhang.

Le compliment mit Abby mal à l'aise.

— Je ne vous promets rien, Zhang. Je vais lui parler, c'est tout.

Zhang tira un petit téléphone portable d'une poche de sa veste, lut un message et marmonna quelque chose. Abby devina qu'il devait s'agir d'un juron.

— Ma source au ministère m'informe que nous allons manquer de temps. Les négociations ne se passent pas bien. Stephan Andrade, un vieux rival de Dominic, vient juste de faire une contre-proposition pour emporter le contrat. Nous aurions peut-être été en mesure de prendre la décision avec le soutien de la Fondation pour les femmes, mais on dirait bien que votre homme va se retrouver ruiné avant même d'avoir pu démontrer tout le bien que vous pensez de lui. D'après ma source, le ministère va annoncer sa décision aujourd'hui même. Des journalistes des quatre coins du monde viennent assister à la conférence de presse.

Abby sentit son cœur se briser pour Dominic. Avoir bâti un empire aussi incroyable pour se retrouver les mains vides du jour au lendemain… cela paraissait aussi injuste qu'impossible.

— Dominic a tant à perdre que ça sur ce contrat ?

— Dominic s'est allié à des investisseurs particulièrement puissants. Si l'affaire échoue, ils obtiendront le gel de ses avoirs. Ce sera le début de la fin pour lui.

— Il n'y a rien que vous puissiez faire ? demanda Abby d'une voix suppliante.

Zhang parut étudier la question.

— Non, mais il y a peut-être quelque chose que vous pourriez faire, répondit-elle, avant de demander au chauffeur, en mandarin, de les conduire dans le quartier des affaires où se trouvait le ministère. Un vieux proverbe dit : « De nombreux chemins mènent au sommet de la montagne, mais la vue y est toujours la même. » Si mon plan fonctionne, Dominic vous en voudra sûrement, mais les femmes chinoises vous remercieront. Et peut-être votre homme vous pardonnera-t-il lorsqu'il sera devenu l'un des hommes les plus influents du monde.

Abby sentit son estomac faire un salto particulièrement douloureux.

— Pourquoi vous accorderais-je ma confiance ? Qu'est-ce qui me prouve que tout ça est vrai ?

Zhang la scruta pendant un moment.

— Rien. Et vous avez raison d'avancer avec prudence. Une maîtresse ne se mêle pas des affaires de son amant. Mais nous savons toutes les deux que vous pourriez être bien plus qu'une passade. Si vous aimez Dominic, arrêtez d'avoir peur et comportez-vous en femme résolue. C'est de ça qu'il a besoin. Sinon, vous perdrez tout.

— Je ne l'…, commença Abby.

Mais si…

Elle l'aimait.

Elle aimait Dominic.

Merde.

Zhang haussa un sourcil incrédule. Sans s'en rendre compte, Abby avait pensé si fort ce mot qu'elle l'avait dit à voix haute.

— Il faut que je parle à Dominic, dit Abby.

— Trop tard. Si Dominic quitte la réunion, Andrade aura son contrat signé avant même qu'on arrive.

— Et pourquoi vous ne pouvez rien faire? demanda Abby, désespérée.

— Ils ne me laisseront pas accéder à la salle de conférence. En revanche, ils vous laisseront voir Dominic… en particulier si vous dites que vous lui apportez un avenant au contrat oublié à l'hôtel.

— Un avenant?

— Une disposition supplémentaire demandant la mise en place d'une bourse officielle pour l'éducation des femmes, financée par le versement de cinq pour cent des bénéfices de Corisi Enterprises.

— Mais je n'ai pas encore eu la possibilité de lui expliquer quoi que ce soit. Il ne comprendra pas.

—Vous aurez tout le temps de vous expliquer lorsque vous l'aurez sauvé.

—Et s'il refuse?

—Il acceptera, répondit Zhang en tapant un message sur son téléphone. Il n'aura pas le choix.

Chapitre 15

Quelque chose n'allait pas. Le ministre remettait sur le tapis des questions déjà réglées des mois auparavant. De nouveaux conseillers venaient à sa demande, et tous ajoutaient des obstacles supplémentaires à chaque étape du processus.

Aux États-Unis, Dominic lui aurait demandé des comptes, mais en Chine, les règles étaient différentes. Il n'allait quand même pas tout perdre pour n'avoir pas su garder son sang-froid.

La tension qui régnait dans la pièce l'avertissait qu'il se tramait plus dans cette réunion que ce dont on parlait réellement.

Lorsque la porte s'ouvrit pour livrer passage à une Abby portant une liasse de documents, Dominic eut la certitude que son corps venait de succomber à une attaque de stress et qu'il était victime d'une forme d'hallucination. Elle marcha droit sur le ministre, le salua d'un petit signe de la tête, puis déposa les papiers devant lui.

— Qu'est-ce que c'est que ça ? tonna le ministre.

D'une voix douce et posée, Abby répondit en mandarin. Le ministre commença à parcourir les feuillets avant même qu'elle ait fini de parler, puis il chargea un conseiller de les lire attentivement. Ensuite, il s'entretint brièvement avec les deux hommes à sa droite, et parut tomber d'accord avec eux.

—Monsieur Corisi, vous auriez été bien avisé de venir mener les discussions d'aujourd'hui avec ces documents. Votre offre généreuse bénéficiera à de très nombreuses personnes dans toute la Chine. Je ne vois aucun motif pour lequel le gouvernement ne donnerait pas son accord.

Et sur ces mots, le ministre signa le document, avant de commencer à apposer son paraphe dans tous les endroits du contrat prévus à cet effet. Dominic était furieux.

Abby rejoignit Dominic – sans tenir compte du regard noir qu'il lui lança. Il se pencha sur elle comme pour la remercier, mais les mots qu'il lui murmura à l'oreille n'étaient pas tendres.

—Que dit ce document ?

Abby conserva un visage impassible, alors même que la fureur dans la voix de Dominic la faisait frissonner.

— Que tu offres cinq pour cent des bénéfices annuels de ton entreprise au financement d'une bourse nationale à l'intention des femmes des zones rurales.

—Et pourquoi je ferais ça ? demanda-t-il en la saisissant durement par le bras.

Les yeux d'Abby s'emplirent de larmes.

— Pour sauver ta société. Sans ça, tu risquais de tout perdre aujourd'hui.

— Ne me mens pas. Le résultat final n'a jamais été remis en cause. Qu'est-ce que ça te rapporte tout ça ? s'enquit-il d'un ton accusateur.

L'avocat apporta les documents à Dominic.

— Il ne manque plus que votre signature – et une conférence de presse ensuite pour l'annonce officielle. Je crois que cette dernière clause va surprendre absolument tout le monde et faire de vous une sorte de héros.

Dominic relâcha Abby pour lire le texte, rédigé en anglais et en mandarin. La jeune femme n'avait pas menti au sujet de la clause supplémentaire. Ce qu'il ne comprenait pas, c'était ce qu'elle pouvait bien avoir à y gagner.

Elle se glissa hors de la pièce pendant qu'il signait.

Zhang la retrouva dans le hall d'entrée contigu à la salle de réunion.

— Vous avez réussi !

— Et qu'avez-vous réussi exactement ? demanda la voix de Jake Walton derrière elles.

Abby croisa son regard glacé par-dessus l'épaule de Zhang.

Son estomac se noua. Certes, le ministre avait signé le contrat. Oui, les dernières dispositions allaient bénéficier aux femmes de toute la Chine.

Mais si Dominic avait dit vrai et que rien de tout ça n'avait été nécessaire ? Zhang avait très bien pu orchestrer cette histoire pour avancer les pions de la Fondation pour les femmes.

Abby était-elle une héroïne ou le dindon de la farce ?

Zhang se retourna, bloquant la progression de Jake par sa seule présence. En dépit de la sophistication de son tailleur, son attitude exprimait toute l'agressivité d'une femme qui ne recule pas devant la bagarre.

— Elle a réussi ce que nous vous avons demandé de faire il y a des mois de cela. Corisi Enterprises contribue désormais généreusement à la cause des femmes chinoises.

Le regard de Jake, chargé d'un immense dégoût pour les deux femmes, se fixa sur Abby.

— Quels sont vos liens avec Zhang ? Qui êtes-vous ?

Devant cette condamnation sans appel, Abby sentit sa confiance se lézarder.

— Ne me regardez pas comme ça ! J'ai fait ça pour Dominic.

— Permettez-moi d'en douter, répliqua Jake, plus que sceptique.

— Vous mettez ma loyauté en doute ? cracha Abby. Mais ce n'est pas moi qui paie les gardes du corps de Dominic pour l'espionner.

Le regard de Jake dériva vers un point derrière Abby, et il chancela comme un homme qui vient d'encaisser un crochet au foie.

—Dominic…

Le temps parut suspendu pendant les quelques secondes atroces qu'il fallut à Abby pour se rendre compte qu'il se tenait derrière elle et avait donc tout entendu. Elle joignit les mains et ferma les yeux un instant, appréhendant sa réaction.

Elle n'avait nulle part où se cacher. Abby pivota donc sur ses talons, puis aperçut tout d'abord le cuir rutilant des chaussures de l'homme qu'elle aimait. Elle se força à lever la tête pour le regarder dans les yeux. La contraction de sa mâchoire était l'unique signe visible de sa fureur.

Le ton trompeusement calme de Dominic fit courir un frisson glacé tout le long de la colonne vertébrale d'Abby.

—Heureusement que je n'ai pas foi en l'humanité. Sinon, je passerais un sale quart d'heure.

D'un pas lourd de remords, Abby s'approcha de lui. Elle s'en voulait terriblement de ne rien lui avoir dit la veille. Elle ne pouvait pas imaginer pire manière d'apprendre toutes ces nouvelles. Allait-il seulement accepter de l'écouter ?

—Dominic, ce n'est pas ce que tu crois.

Le jeune milliardaire concentra sa férocité sur son second.

— Tu n'étais pas censé protéger la sœur d'Abby ? Mais a-t-elle une sœur au moins ? Jusqu'où va le mensonge ?

D'un geste, il fit venir l'un des membres de sa sécurité personnelle – à qui il communiqua des instructions que personne d'autre n'entendit. Sur un hochement de tête, l'homme s'éloigna en communiquant avec son équipe *via* le dispositif fiché dans son oreille.

Jake avait l'air passablement secoué.

—Dominic, se hâta-t-il de dire. Ne te méprends pas. Oui, j'ai demandé à Scott de me tenir informé de tes faits et gestes, mais uniquement parce que ton comportement m'a paru étrange…

Dominic n'écoutait pas. Le visage fermé, il se tourna vers Abby pour lui parler entre ses dents serrées.

—Ce que je ne comprends pas, c'est ce que tu y gagnes. De l'argent?

Son regard dériva vers Zhang, l'unique protagoniste de ce drame qui ne paraissait rien regretter. Il inclina la tête en une parodie de respectueuse déférence.

—J'ai sous-estimé votre créativité, Zhang. Bravo. Celle-là, je ne l'ai pas vue venir. J'ignore combien vous avez payé Abby – si c'est bien ainsi qu'elle s'appelle – mais en tout cas, elle en a mérité jusqu'au dernier centime.

Les larmes aux yeux, Abby s'efforça de ne pas détourner la tête. Dominic souffrait et c'était sa faute à elle. Rien de tout cela ne serait arrivé si elle avait été moins égoïste la veille. Si elle avait eu la force de se priver d'un petit intermède, elle aurait pu lui épargner cette humiliation. Elle méritait son courroux, même si ce n'était pas pour la raison qu'il croyait.

— Dominic, je voulais te prévenir ce matin, mais tu étais déjà parti. J'aurais dû te parler hier soir…

Dominic prit Abby par le menton – sans douceur ni tendresse pour une fois.

— Combien t'a-t-elle payée, Abby ? En tout cas, tu as eu grand tort d'accepter. J'étais tellement sous ton charme à Boston… que si tu m'avais tout avoué je t'aurais probablement pardonné. L'ironie, c'est que si tu m'avais choisi moi plutôt que leur argent, tu aurais pu devenir l'une des femmes les plus riches du monde.

Jake intervint.

— Dominic…

Le milliardaire relâcha le menton d'Abby d'un geste plein de dédain.

— Va-t'en, Jake. Je m'occuperai de toi quand j'aurai arraché la vérité à Scott. Et ne te donne pas la peine de le prévenir. Mes hommes doivent déjà l'avoir intercepté.

Jake pâlit, mais parvint à conserver son sang-froid.

— Ne commets pas d'imprudence, Dom.

— Bien sûr, je ne suis pas au-dessus des lois, pas vrai ? J'ai failli oublier la piètre opinion que tu as de moi. Je suppose que ça t'a aidé à justifier tes propres actions.

Le ton de Dominic se faisait de plus en plus glacial.

Soudain, une porte latérale s'ouvrit et une foule d'hommes parlant américain s'engouffrèrent dans le hall – coupant net la chique à Jake. Un grand blond, aussi magnifiquement bâti que Dominic lui-même, sortit du groupe pour marcher sur eux. Une lueur fascinée éclaira ses yeux bleus tandis qu'il découvrait la scène interrompue. Le timbre de sa voix profonde mêlait l'ironie à une certaine dose de malveillance.

— Je ne sais pas comment tu fais, Corisi, mais on dirait toujours que tu couines quand tu l'as emporté. Je pensais bien t'avoir cette fois.

Les muscles de Dominic se crispèrent – au point de déformer son costume sur mesure.

— Stephan, c'est toi qui es derrière tout ça ?

D'un coup d'œil circulaire, le rival de Dominic évalua rapidement l'état de tension de toutes les personnes présentes. Il releva la posture défensive de Jake, la mine provocatrice de Zhang avec sa tête un peu inclinée, et les larmes qui inondaient les joues d'Abby. Un sourire railleur s'épanouit sur ses lèvres et une pointe d'amusement anima ses yeux bleus.

— J'aimerais être à l'origine de ce qui se passe ici, mais malheureusement, tu es le seul responsable de ce bourbier. Pour un homme qui vient de l'emporter, tu as la mine bien piteuse. Rien que pour ça, ça valait le coup que je vienne ici.

N'importe quel autre homme se serait enfui devant l'expression sur le visage de Dominic. Le grondement rauque dans sa gorge ressemblait fort à l'amorce de cri d'un guerrier sur le point d'abattre son épée.

D'un pas lourd de menace, Dominic se mit en marche vers Stephan, mais Jake intervint prestement.

— J'aurais dû deviner que c'était vous qui tiriez les ficelles dans l'ombre.

Exaspérée, Abby essuya ses larmes. Qui était cet homme que tout le monde semblait connaître et qui se réjouissait manifestement des déboires de Dominic ?

— Ça n'a pas été simple de passer sous votre radar, Walton, dit Stephan.

Son ton ironique et familier dissimulait mal la détermination de son regard. Comme un prédateur dans la jungle, il avait détecté la faille dans le groupe et prenait un malin plaisir à jouer avec eux.

— Vous savez qu'il y aura toujours une place pour vous dans mon équipe si vous décidez de quitter Corisi Enterprises.

— Mais je n'ai aucune intention de m'en aller, répliqua Jake en s'approchant de Dominic.

En un échange rapide et silencieux, Jake et Dominic réaffirmèrent le lien fraternel qui les unissait – et qui survivrait à cette calamité. Il pouvait leur arriver de se disputer, mais l'ennemi de l'un devenait nécessairement l'ennemi de l'autre.

Dominic approuva d'un petit hochement de tête.

— Comme c'est touchant ! s'exclama Stephan d'un ton moqueur.

Puis, comme si les deux associés ne l'intéressaient plus, Stephan reporta son attention sur les femmes.

— Je n'arrive pas à croire que vous ayez réussi ce coup-là, Zhang. C'est le genre de manœuvre dont on parle dans les livres d'histoire. Venez dîner quand vous voulez. J'adorerais connaître les détails.

Zhang répliqua d'un ton qui ne laissait aucun doute quant à l'opinion qu'elle pouvait avoir de son interlocuteur.

— Faites attention, Stephan. L'eau peut tout submerger, vous savez, même le temple du roi-dragon.

Abby reconnut l'allusion à l'une des quatre créatures sous-marines qu'elle avait vues dans l'un des temples du palais d'Été. Ces créatures divines déchaînaient la mer et les éléments pour détruire ceux qui se dressaient contre elles.

Stephan reporta son attention vers Abby qu'il considéra d'un œil amusé.

— C'est sa manière de me dire d'aller au diable, lui glissa-t-il sur le ton de la confidence.

Il s'avança encore jusqu'à se tenir devant Abby qu'il dominait. Il la gratifia d'un sourire au charme très étudié.

— Alors c'est elle, la petite prof qui mène l'immense Dominic par le bout du nez ?

Abby ignora la main qu'il lui tendait.

— Je ne sais pas à quel jeu vous jouez, mais ne comptez pas sur moi pour me prêter à celui-ci.

Il ne parut pas le moins du monde s'offenser du ton glacial de la jeune femme. Il l'étudia avec une lenteur calculée – ce qui eut le don de mettre Dominic hors de lui.

— Vous pleurez sur le sort de Dominic ou est-ce lui qui vous fait pleurer ?

Le grondement derrière lui aurait dû l'avertir, mais Stephan était tout à son humiliation.

— Il n'a jamais été du genre à bien traiter les femmes. Jusqu'à ce jour, je dois bien dire que je ne me suis jamais demandé ce qu'il faisait de ses ex. Mais vous, le monde vous tend les bras. J'adorerais prendre le temps de découvrir si vous êtes à la hauteur de ce qu'on raconte à votre sujet.

Une main puissante se referma sur l'une de ses épaules pour le faire pivoter – pile à l'instant où le poing de Dominic vint percuter son menton. Stephan vacilla, mais ne tomba pas. Son sourire s'élargit encore lorsqu'il passa une main sur sa mâchoire rougie.

— Tu peux arrêter de lui faire les yeux doux, déclara Dominic en jetant un regard noir à Abby. Il va partir.

— Mais je ne…, balbutia Abby pour se défendre.

Le rire de Stephan interrompit leur échange.

— Tu te ramollis, Dominic. Et c'est pour ça qu'une simple pichenette va suffire pour te faire tomber.

— Tu peux rire autant que tu veux, répliqua Dominic, les poings serrés. Mais à partir d'aujourd'hui tu vas avoir un peu plus de mal à entuber Corisi Enterprises. On ne boxe plus dans la même catégorie. Tu ne peux plus rien contre moi.

La mine de Stephan ressemblait étrangement à celle du chat qui sait pertinemment que le canari dont il a réussi à ouvrir la cage dispose d'une porte dérobée pour prendre la fuite.

—N'en sois pas si sûr, Dominic.

Son sourire s'étiola un peu lorsque Dominic le saisit par le collet pour l'attirer à lui. Leurs nez se touchaient presque. La voix de Dominic recelait un calme mortel.

—Jusqu'à présent, tous les coups que tu as pris venant de moi étaient dus uniquement à ton incompétence. À partir de maintenant, c'est un peu plus personnel.

Il laissa à Stephan le temps de bien assimiler la menace, avant de le repousser d'une lourde bourrade qui le fit reculer de près d'un mètre.

—Tire-toi, ajouta-t-il. Avant que j'oublie qu'un meurtre pourrait nuire à ce contrat.

Le vernis de courtoisie de Stephan craqua à cet instant, révélant sa profonde animosité envers Dominic.

—Personne n'est intouchable, Dominic. Tu feras moins le malin la prochaine fois.

Pour toute réponse, d'un simple hochement de tête, Dominic ordonna à ses hommes de se tenir prêts. Suffisamment sage pour battre en retraite, Stephan exécuta une révérence théâtrale avant de repartir avec toute sa coterie.

—N'envisage même pas d'aller avec lui, déclara Dominic en prenant Abby par la taille en un geste possessif.

De surprise, Abby en eut le souffle coupé. Elle s'écarta de lui pour le regarder en face. Dominic paraissait tout ce qu'il y a de sérieux.

—Tu es devenu fou ?

—Et on dit que ce sont les femmes qui font des drames, intervint Zhang.

Abby tenta de fuir l'emprise de Dominic, mais plus elle se débattait et plus sa poigne s'affermissait.

—Zhang, dit Dominic sans même se retourner vers elle. Priez pour que je ne découvre pas que c'est vous qui avez fait venir Stephan ici.

N'étant pas du genre à accepter facilement la menace, Zhang riposta.

—Vous êtes dans la tourmente, Dominic, mais choisissez vos adversaires avec soin. Si vous levez la main sur moi, vous ne sortirez pas vivant d'ici.

Elle s'approcha ensuite d'Abby.

—Vous n'êtes pas seule, Abby. Dites un seul mot et en quelques minutes je peux vous mettre dans un avion pour n'importe quelle destination.

Dominic baissa les yeux sur Abby, comme s'il se rendait seulement compte qu'il la serrait contre lui. Pendant un instant, son étreinte se fit plus douce, presque contrite. Ses yeux gris cherchèrent ceux de la jeune femme. Les choix qu'il avait faits – quels qu'ils soient – ne paraissaient guère le satisfaire. Il la relâcha, mais fit venir d'un geste le chef de sa sécurité.

— Elle ne va nulle part.

Un jeune Chinois s'approcha en s'excusant.

— Monsieur Corisi, les journalistes sont dans la grande salle de conférence.

— Qu'ils attendent, grinça Dominic.

Le jeune homme se tordit nerveusement les mains.

— Le ministre va faire son entrée dans quelques minutes. Il serait malséant que vous ne soyez pas là et il est impoli de le faire attendre. Je vous en prie, monsieur, il faut y aller.

— Ce ne serait pas une bonne chose de débuter notre alliance en offensant une nouvelle fois le ministre, renchérit Zhang.

Jake prit la parole – sur un ton calme et rationnel presque incongru dans cet espace encore chargé de vibrations pleines d'émotion.

— Et si je ramenais Abby à l'hôtel ?

Dominic ne dissimula pas le déplaisir que lui causait cette perspective. Néanmoins, Jake ne plia pas. Malgré le vif échange entre les deux hommes auquel elle avait assisté, Abby comprit que leur entente demeurait solide. Jake acceptait de subir une nouvelle saute d'humeur de la part de Dominic si c'était le prix à payer pour épargner un scandale à son ami. Était-ce pour cette raison qu'il avait chargé Scott de surveiller Dominic ? Cette hypothèse semblait tenir debout.

— Non, aboya Dominic. Elle ne va nulle part tant que je n'ai pas démêlé cette histoire. Je veux savoir quel rôle elle a joué… et toi aussi.

Jake blêmit, mais fit le dos rond.

— D'accord, je l'ai bien mérité. À la lumière des événements, je vois bien que mes actes ne plaident pas en ma faveur, mais j'essayais d'anticiper. Rien de plus. Et je n'avais jamais rencontré Abby avant. Tu dois me croire.

Le visage de Dominic demeurait hermétiquement fermé.

— Je ne sais plus ce que je crois. Je te suggère de te faire discret jusqu'à ce que j'aie fait le tri.

— C'est équitable, concéda Jake. Mais je persiste à penser que tu devrais me laisser emmener Abby, le temps que tu te ressaisisses.

— Non, répondit Dominic d'un ton tranchant comme l'acier.

— Dom…, commença Jake de sa voix toujours posée.

D'un petit signe discret, Dominic ordonna à deux de ses gardes d'encadrer Abby, avec l'intention manifeste de l'évacuer des lieux.

— Conduisez-la à mon avion, dit-il sèchement. Faites le plein. Nous partons dès que j'en ai fini ici.

Devant ce déploiement de force, Zhang haussa les sourcils. Elle s'approcha d'Abby sans tenir compte des gorilles qui se tenaient à ses côtés.

— Si ça tourne mal et que vous avez besoin d'aide, appelez-moi, dit Zhang en fourrant sa carte avec son numéro privé dans les mains glacées d'Abby.

Sous le coup d'une impulsion, Abby prit Zhang dans ses bras. Surprise, la Chinoise devint raide comme un piquet l'espace d'un instant. Puis, étonnamment, elle lui rendit son étreinte.

— Il est en colère, mais jamais il ne me ferait de mal, murmura Abby.

Zhang recula d'un pas.

— Pour votre propre bien, j'espère que vous avez raison.

Abby se retourna vers la mine sévère de Dominic en se mordant la lèvre. Derrière la façade furieuse, il y avait le cœur loyal d'un homme qui avait renoncé à tout pour partir à la recherche d'une mère qui n'avait même pas pris la peine de lui écrire un billet d'adieu. Il était toujours l'homme qui avait recueilli Marie Duhamel pour lui offrir la sécurité financière, alors que tous les employeurs l'auraient laissée supporter seule le poids des erreurs de son défunt mari. C'était un homme bon, touché en plein cœur par ce qu'il considérait comme une trahison.

Abby avait le sentiment que si elle exprimait le désir de partir, il la laisserait s'en aller. Mais était-ce ce qu'elle voulait vraiment ? La veille encore, elle s'était convaincue qu'elle pourrait se satisfaire de cette seule escapade – et du souvenir de leur passion partagée.

Après tout, s'éloigner pour rejoindre la sécurité, c'était une pratique dans laquelle elle excellait.

Mais tout ça, c'était avant qu'elle prenne conscience de la profondeur de son amour pour lui.

La détermination de Dominic à la garder près de lui entretenait l'espoir au cœur d'Abby. Lui non plus ne voulait pas que s'achèvent les instants passés ensemble. Il n'avait rien d'un homme policé qui s'exprime en termes fleuris ; c'était un homme d'action. Et tout dans son attitude de dominant indiquait qu'il la désirait toujours, quel que puisse être son avis sur les événements de la journée.

Pour l'heure, cela suffisait. Une fois le calme revenu, lorsqu'ils seraient seuls, Abby aurait la possibilité de lui expliquer ce qu'elle avait fait. Alors, il verrait qu'elle avait agi avec les meilleures intentions du monde. Alors il lui pardonnerait.

Dominic l'avait transformée. Elle ne voulait plus de la sécurité à tout prix. Elle ne voulait plus déposer sa vie en sacrifice au pied du destin, dans l'espoir que ce renoncement pourrait atténuer les chagrins à venir. Non, elle voulait tout. L'homme et la passion. Tout « jusqu'à ce que la mort les sépare. »

Le menton levé bien haut, elle laissa les hommes de Dominic la mener, par une sortie discrète, jusqu'à une limousine prête à l'emporter jusqu'au jet privé.

Et que mon enlèvement commence.

Chapitre 16

Lovée sous le même plaid qu'à l'aller, Abby regardait par le hublot les gens qui allaient et venaient en contrebas. Des gardes, vêtus de leur habituelle tenue en noir et blanc, avaient pris position aux abords et à l'intérieur du hangar.

Apparemment, Dominic n'avait pas demandé à ses gardes de la distraire. Malgré tous les efforts d'Abby pour papoter, ils observaient un silence obstiné. À leur arrivée à l'avion, Abby avait marqué une légère hésitation avant de franchir la porte. Une poigne ferme l'avait alors poussée en avant.

—Arrêtez de faire comme s'il fallait me forcer. Je suis venue de mon plein gré, avait-elle aboyé.

Seul le silence lui avait répondu.

Peu après cela, un garde lui avait emboîté le pas dans la cabine pour l'escorter jusqu'aux toilettes.

—N'imaginez pas que vous allez m'accompagner, avait-elle dit en agitant un index sous le nez de l'homme. Qu'est-ce que vous craignez ? Que je m'échappe ? Il n'y a même pas de fenêtre.

Pour toute réponse, le garde lui avait tourné le dos, bloquant tout le passage de sa large carrure. Abby avait dû prendre sur elle pour résister à l'envie de lui fracasser quelque chose sur le crâne. Plus le temps passait dans l'attente de l'arrivée de Dominic et plus elle était agitée. Pour autant, elle n'était pas stupide au point de passer à l'acte.

Près de deux heures s'étaient écoulées sans la moindre nouvelle. Abby avait suivi l'essentiel de la conférence de presse sur la télévision du bord. À première vue, Dominic paraissait calme. Il avait répondu aux journalistes lui demandant depuis combien de temps il préparait ce geste philanthropique. Il avait accepté les remerciements d'innombrables responsables d'associations. Toutes les chaînes le citaient en exemple à l'intention des hommes d'affaires du monde entier. D'aucuns commençaient à dire que son initiative allait marquer le début d'une nouvelle ère dans les relations sino-américaines. Dominic acceptait les éloges avec un calme qu'on prenait pour de l'humilité – mais qu'Abby savait être du sang-froid.

À un moment de la conférence de presse, un reporter avait fait une déclaration en préambule de sa question.

— Personne n'a rien vu venir, monsieur Corisi. Vous avez surpris le monde entier.

Face aux caméras, Dominic avait répondu comme s'il regardait Abby au fond de l'âme, sur un ton glacial qui contrastait étrangement avec l'intensité de son regard.

— Il est souvent difficile de prévoir ce dont les gens sont capables.

Abby avait éteint le récepteur.

La colère n'avait pas quitté Dominic. Abby avait espéré que son humeur s'améliorerait au fil des heures, ou après que Scott lui aurait confirmé qu'elle avait rencontré Zhang pour la première fois au cours de ce voyage. Qu'il n'y avait pas de complot. Pas de coup fourré. Rien d'autre que des bonnes intentions n'ayant pas obtenu l'effet escompté.

Abby resserra le plaid autour d'elle, et roula des yeux à l'intention du garde qui paraissait ravi de la voir se calmer.

— Avant de vous glorifier davantage, permettez-moi de dire que le vrai défi aurait été de m'empêcher de monter à bord.

Pas le moindre tressaillement en guise de réponse. Merde, ces mecs étaient vraiment forts. Abby ferma les yeux et sombra dans un sommeil agité.

Abby s'éveilla lorsque Dominic la souleva de la banquette comme on emporte un enfant. L'avion roulait sur la piste et Dominic l'entraînait vers la chambre.

Il la jeta sur le lit.

Elle ouvrit la bouche pour dire quelque chose, mais elle le vit debout devant elle, semblable à quelque pirate en train de contempler sa part de butin, et toutes ses pensées cohérentes s'envolèrent. La fureur assombrissait toujours les yeux de Dominic. La colère à peine contenue faisait saillir ses muscles. Abby se dit qu'il n'avait jamais été plus sexy.

Une immense surprise l'envahit lorsqu'elle se rendit compte que le fait d'être enlevée par l'homme qu'elle aimait lui procurait une excitation sexuelle intense. Même si cela paraissait déplacé, elle avait envie de céder à ce fantasme – et qu'il la prenne avec toute l'ardeur des émotions qui sourdaient en lui. Le masque froid était tombé. À la place, il n'y avait plus qu'un désir qui n'était que le reflet de celui d'Abby – à la nuance près qu'il avait l'air moins ravi.

— Dors, gronda-t-il. J'ai des coups de fil à passer.

Abby se frotta les yeux d'un revers de main, avant de rouler sur le côté.

— Où allons-nous ? demanda-t-elle d'une voix rauque.

— Pas aux États-Unis – si c'est ce que tu espérais, grinça-t-il.

Le remords prit le pas sur le fantasme. Abby se redressa pour s'asseoir.

— Dominic, écoute-moi. Je peux tout t'expliquer.

Il poussa un soupir qui sonna comme un juron.

— Je n'ai pas la force d'écouter tes mensonges, Abby – si c'est bien ton vrai nom.

— Je ne t'ai jamais menti, Dominic, se défendit-elle.

Le milliardaire plissa les yeux.

— Tu es convaincante, Abby, mais tu peux arrêter là. Tu ne recevras jamais ce qu'ils t'ont promis. J'y veillerai personnellement.

De rage et de découragement, Abby abattit ses deux mains à plat sur le lit. Pourquoi était-il si déterminé à continuer de croire le pire à son sujet ?

— Comment peux-tu penser que j'aie trempé dans un complot contre toi ? Si ma mémoire est bonne, lors de notre première rencontre, je t'ai dit que je ne voulais plus jamais te revoir ? C'est toi qui as insisté pour que je monte dans ta limousine quand nous étions dans le Massachusetts. Je n'ai pas demandé à t'accompagner en Chine. Comment est-ce que j'aurais pu mettre au point ce complot ?

Dominic lui tourna le dos.

— Pas étonnant que Zhang t'ait choisie. Les mensonges coulent de ta bouche comme l'eau d'une fontaine. J'aurais dû te laisser en Chine.

Si c'était là le fond de sa pensée, alors ce n'était pas la fantaisie amoureuse qu'elle avait rêvée – ni même l'occasion de ravauder leur relation mise à mal ce jour-là.

Abby s'assit sur ses talons et répliqua avec fougue :

— Alors pourquoi tu ne l'as pas fait ?

Dominic tourna son visage tourmenté pour la voir par-dessus son épaule.

— Je n'ai pas pu. Tu es comme une maladie qui me ronge de l'intérieur.

Il referma la porte derrière lui, d'une main qu'Abby crut voir trembler.

Une maladie? Abby se laissa retomber sur le lit pour enfouir son visage dans un oreiller et y gémir de dépit.

Pour la première fois, le doute commença à s'insinuer en elle. Que s'imaginait-elle? Dominic ne l'aimait pas. Si ses mots traduisaient sa pensée, il ne l'appréciait même pas. La pulsion n'est qu'un pauvre substitut de l'amour.

Un peu plus tôt, elle avait cru qu'une simple explication suffirait à raviver ce qu'ils avaient partagé la nuit précédente. *Quelle naïveté.* De toute évidence, ce qu'elle avait pris pour une intimité émotionnelle partagée ne se réduisait pour Dominic qu'à des préliminaires un peu étoffés.

Non, se dit-elle. On ne peut pas feindre ce genre d'ouverture à l'autre. Quelque chose les avait bel et bien unis. Sur ce point, elle ne pouvait pas se tromper. Impossible qu'elle ait mal interprété la situation à ce point. Derrière ses mots durs, Dominic dissimulait sa souffrance.

Et tout était la faute d'Abby.

Si elle lui avait tout dit la veille, elle lui aurait épargné une humiliation publique. C'était l'unique chose qu'elle regrettait de son aventure avec lui. C'était peut-être ça qu'elle devait lui dire, ça qu'il avait besoin d'entendre, pour qu'ils puissent tourner la page et aller de l'avant.

Elle se leva aussitôt et remonta le petit couloir jusqu'à la salle principale, bien déterminée à ne pas se poser de questions. À son entrée, Dominic releva la tête des papiers qu'il était en train de lire. L'expression de nouveau peu amène de son visage avertit Abby qu'il ne goûtait guère l'intrusion.

Elle s'arrêta au milieu de la pièce. Au prix d'un effort, elle s'obligea à garder les bras le long du corps, au lieu de les tenir serrés autour d'elle comme une protection. Elle était là pour rétablir le contact avec lui, pour corriger une erreur. Pas question d'être sur la défensive quand on vient s'excuser.

— Je suis désolée, lâcha-t-elle tout d'un coup.

Puis elle attendit.

Dominic se pinça l'arête du nez et ferma les yeux.

— Bien sûr que tu es désolée. Au moins désolée d'avoir été prise la main dans le sac, fit-il remarquer d'un ton las.

Elle fit un pas hésitant dans sa direction.

— Je suis désolée de ne pas t'avoir averti tout de suite lorsque j'ai découvert que Scott travaillait pour Jake. J'ai surpris une conversation entre lui et ses hommes hier, à l'hôtel. J'aurais dû t'en parler la nuit dernière.

Les yeux gris de Dominic étaient presque noirs lorsqu'il les rouvrit. Aussi sombres qu'impénétrables. Abby se força à poursuivre :

— Je suis également désolée de ne pas t'avoir informé que Zhang avait prévu de me voir aujourd'hui. Elle m'avait dit que ton contrat était en danger, et que je pouvais t'aider.

Dominic répondit sur un ton auquel Abby n'était pas habituée.

— Même si c'est vrai, je t'avais quand même prévenue qu'on tenterait de t'utiliser pour influencer le cours des négociations. Zhang t'a manipulée comme elle a voulu.

— Je sais, dit Abby en ravalant sa culpabilité.

— Tu avais tout le temps pour me parler.

Abby s'abîma dans l'examen de ses pieds nus et reconnut sa faiblesse.

— J'étais sur le point de le faire, mais la nuit dernière a été si magnifique... J'ai été égoïste. Je savais que les choses changeraient dès que je t'aurais parlé. J'ai pensé que j'aurais le temps de le faire ce matin.

Si Abby avait pensé que ses explications allaient changer quelque chose, elle déchanta bien vite en levant un regard plein d'espoir sur Dominic. Il n'y avait pas la moindre trace de pardon sur son visage.

— Et donc, manipuler l'accord final de façon à m'obliger à accepter tes conditions au risque de perdre le contrat, c'était ta solution au problème ?

Formulé comme ça, c'est vraiment accablant.

Il fallait qu'elle lui fasse comprendre.

— Zhang m'a dit que c'était la seule solution, que les discussions capotaient, et que si je t'appelais et que tu sortais de la salle, un concurrent l'emporterait à coup sûr. C'est pour ça que Stephan était là, n'est-ce pas ? Il essayait de te couper l'herbe sous le pied avec une meilleure offre. Zhang disait vrai.

— Qu'est-ce qui te fait croire que tu étais plus qu'un simple pion pour Zhang ? Tu crois vraiment que quelqu'un comme toi – une prof – comprend quelque chose à la stratégie du commerce international ?

Ses paroles acerbes restèrent un instant dans l'air entre eux.

La honte pesa sur Abby comme un lourd manteau froid, mais l'orgueil l'aiguillonna. Les yeux rivés aux siens, elle contra :

— Pourquoi ne me dis-tu pas ce que tu ressens vraiment, Dominic ?

Il fit tomber quelques papiers sur le sol en se levant. La colère lui crispait le visage.

— Tu étais censée être une agréable passade. Je t'ai emmenée avec moi pour oublier la semaine de merde que je viens de passer. Et au lieu de t'occuper de tes affaires, il a fallu que tu mettes ton nez dans les miennes…

Il s'était servi d'elle. Abby fut profondément blessée d'en avoir la confirmation. Depuis le début, elle savait qu'une femme comme elle n'avait pas sa place dans la vie de Dominic, mais elle s'était surprise à croire qu'elle était plus pour lui qu'une partenaire sexuelle bien pratique. Comment avait-elle pu être si stupide ? Abby porta une main à sa bouche.

— Je pensais que je t'aidais. Je pensais que tu avais besoin de moi.

— Et c'est vraiment là que tu te trompais.

Abby se sentit poignardée par son ton sarcastique. Elle répliqua :

— Maintenant, je comprends pourquoi ta mère a quitté ton père. S'il te ressemblait, elle a eu raison de partir. Il devait la regarder de haut et la tenir à l'écart de ses affaires. Non pas pour la protéger, mais parce qu'il se croyait supérieur.

Abby redressa les épaules et ravala ses larmes.

— Vous avez tous les deux traité Nicole de la même manière. Pas étonnant que je sois logée à la même enseigne ! Bon Dieu, et dire que j'étais séduite par tes manières un peu rudes. Je sais maintenant ce qu'elles cachent vraiment. Tu as peur de laisser quelqu'un s'approcher de toi. Du coup, tu traînes tout le monde plus bas que terre.

Elle fit demi-tour, la mine dégoûtée, mais une dernière pensée lui vint, qu'elle ne pouvait garder pour elle. Elle pivota de nouveau pour lui faire face.

— Je pensais que je t'aimais, mais je ne te connaissais pas. Tu peux avoir tout l'argent et tout le pouvoir du monde, tu n'es pas assez bien pour moi. L'homme à qui je donnerai mon cœur me considérera comme une égale. Il se mettra à ma portée. Il n'essaiera pas de m'enfermer quelque part pour venir me voir entre deux voyages d'affaires. Il partagera sa vie avec moi, et nos enfants deviendront des adultes équilibrés – pas des monstres tordus et atrophiés du cœur comme toi.

— Va te reposer un peu, suggéra Dominic d'une voix devenue monocorde. Dans quelques heures, nous atterrirons sur mon île privée au large des côtes italiennes.

En guise de réponse, Abby claqua la porte de la chambre. Elle décrocha le téléphone du bord et composa le numéro figurant sur la carte chiffonnée qu'elle avait gardée dans sa poche.

— Zhang ? Si vos promesses n'étaient pas des paroles en l'air, je vais avoir besoin de votre aide. Nous sommes en vol pour l'île privée de Dominic, près de l'Italie. Je veux quitter cette île aussi vite que vous pourrez m'envoyer un avion.

Abby retint son souffle. Si Dominic avait vu juste, Zhang n'avait aucune raison de l'aider. Si elle n'était qu'un pion pour elle, elle allait le découvrir tout de suite.

— Inutile de défaire vos bagages, répondit Zhang. Vous serez à bord d'un avion qui vous ramènera chez vous à peine quelques minutes après votre atterrissage.

Abby éprouva un intense soulagement. Elle s'était peut-être trompée sur Dominic, mais au moins le soutien de Zhang était sincère. Les larmes qu'Abby avait retenues se mirent à couler. Elle hoquetait et sa gorge était nouée au point qu'elle n'arrivait presque plus à parler.

— Il ne m'aime pas, Zhang. Il ne me respecte même pas.

— Faut-il que je le tue ? demanda Zhang, le plus sérieusement du monde.

Étrangement, Abby puisa un certain réconfort dans le jusqu'au-boutisme de Zhang. Cela faisait bien longtemps que quelqu'un n'avait pas pris sa défense. Elle avait porté le fardeau des autres pendant si longtemps qu'elle en avait oublié ce que ça faisait de solliciter l'aide d'autrui.

— Non, répondit Abby un peu à contrecœur. Mais je veux partir.

— C'est comme si c'était fait, répondit Zhang, apparemment soulagée.

Puis elle raccrocha.

Abby dut s'y reprendre à plusieurs reprises pour remettre le combiné sur son socle mural. Ses mains tremblaient d'émotion. Elle s'écroula sur le lit et céda aux larmes qu'elle n'avait plus aucune raison de retenir. De lourds sanglots agitaient son corps. Elle espérait que Dominic pouvait les entendre, voire qu'il s'en voulait un tant soit peu d'être un si parfait crétin.

D'un grand geste, Dominic balaya les derniers papiers de son bureau, puis les regarda voleter jusqu'au sol recouvert d'une épaisse moquette. Il alla ensuite à la radio pour couper le son des pleurs d'Abby, puis se mit à faire les cent pas.

Comment avait-il fini par ressembler à son père ? Après une vie entière passée à le mépriser pour ce qu'il avait fait endurer à sa mère, Dominic venait de traiter Abby exactement de la même manière. Le ton supérieur et condescendant de sa propre voix lui rappelait le salaud auquel il avait juré de ne jamais ressembler. Abby avait raison. Pas étonnant que sa mère soit partie sans jamais revenir sur sa décision de les rayer de son existence.

Aveuglé par sa colère, il avait refusé d'écouter les excuses de Jake, et n'avait prêté aucune attention à

Zhang qui tentait de le convaincre que le temps finirait par prouver l'innocence d'Abby. Or, aucun de ses multiples contacts n'avait pu démontrer l'existence de liens entre Zhang et Abby ou Abby et Jake. Sa propre équipe de sécurité n'avait rien découvert de plus accablant qu'un message de Jake demandant à Scott de le suivre de bar en bar et, le cas échéant, de s'occuper de le faire ramener si Scott ne l'estimait plus en état de conduire. Un autre message de Jake ordonnait à Scott d'éloigner la presse autant que possible, et de l'informer si Dominic faisait quoi que ce soit susceptible de nuire à son image – ou à son intégrité physique.

Dominic avait retardé son retour à l'avion pour laisser à son équipe le temps de passer au peigne fin les événements les plus récents. Cependant, à chaque découverte, l'inconcevable devenait plus probable.

Il se pourrait bien qu'Abby dise la vérité.

Il se remémora leur première rencontre et la tenue toute simple d'Abby. Un jean et un tee-shirt. Ce n'était pas ce que portaient les sirènes en service commandé. Et si elle avait été là uniquement pour venir en aide à sa sœur ? Elle lui avait dit qu'elle était restée parce qu'elle s'inquiétait pour lui. Et lui l'avait remerciée en la pourchassant dans sa demeure luxueuse et en l'insultant.

En repensant aux moments qu'ils avaient passé ensemble, Dominic se sentit submergé par la honte. À chacune des étapes, Abby lui avait librement offert son soutien et son amitié. Grâce à elle, il avait passé quelques jours en étant simplement Dominic. Non pas un fils rebelle, non pas un magnat, mais juste un homme affecté par un deuil.

Il se remémora son dernier emportement et ne put retenir un grognement. Il s'était moqué d'elle parce qu'elle n'était qu'une simple enseignante – alors qu'en réalité, c'était l'une des nombreuses choses qu'il admirait chez elle. Contrairement à lui, la passion qu'elle éprouvait pour son métier n'était pas motivée par la cupidité. Et c'était ce même désir d'être utile qui l'avait conduite à le suivre jusqu'en Chine.

Il n'était pas exclu que Zhang ait manipulé Abby, en utilisant ses sentiments pour lui de façon à l'inciter à remettre l'avenant au contrat. Cet acte avait contraint Dominic à son premier geste de philanthropie. Néanmoins, quand bien même celui-ci n'avait pas été de son fait, son entreprise allait avoir une incidence positive sur la vie de milliards de Chinoises, et inciter d'autres multinationales à soutenir de grandes causes. Étonnamment, cette perspective emplissait Dominic d'un sentiment de satisfaction un peu perturbant.

Les médias avaient fait de lui un héros, mais c'était Abby, la véritable héroïne.

Sans elle, il aurait sans doute persisté à croire que le monde entier lui mentait – et méritait d'être traité en conséquence. Comment avait-il pu acquérir un tel poids politique sans jamais se demander s'il pouvait mettre à profit son influence pour œuvrer dans l'intérêt des plus démunis ? Était-ce par arrogance ou par obsession qu'il avait pu commercer avec des pays en voie de développement sans jamais être effleuré par l'idée qu'il pouvait affecter plus que leur taux de change ?

En moins d'une semaine, Abby l'avait changé à jamais. Et lui, que lui avait-il apporté ?

Il avait fait irruption dans sa vie, exercé sur elle un odieux chantage, s'était servi d'elle, puis l'avait embarquée en Chine pour des motifs purement égoïstes.

Non, il n'y avait pas grand-chose dont il puisse être fier.

À quoi avait ressemblé ce voyage pour elle ? Il ne pouvait guère que l'imaginer et, une fois encore, admirer sa force de caractère. Il se souvenait qu'elle lui avait avoué n'avoir jamais quitté les États-Unis jusqu'alors. Mais elle l'avait suivi, pour lui complaire, et sans se plaindre. Elle avait accepté d'être larguée dans un hôtel, dans un pays qu'elle ne connaissait pas, avec pour unique compagnie des gardes du corps totalement inconnus.

Elle avait dû être terrifiée en surprenant la conversation des gardes et en comprenant qu'ils le surveillaient. Elle ne pouvait plus se fier à ceux sur qui elle était censée compter. Pourquoi n'était-elle pas venue le voir ? Qu'avait-elle dit ? Elle avait voulu une dernière nuit d'intimité avec lui avant d'annoncer la mauvaise nouvelle.

Sur ce point, il ne pouvait pas la blâmer. Il avait rappelé à plusieurs reprises que leur histoire n'était que temporaire. Il avait cru ainsi pouvoir garder la maîtrise de sa propre réponse émotionnelle. Au lieu de cela, il l'avait réduite au silence au moment précis où elle aurait eu besoin de quelqu'un à qui parler.

D'après ce que lui avaient dit Scott et ses hommes – avant qu'il les congédie – Abby n'avait fait la connaissance de Zhang que la veille. Scott avait avoué avoir dit à Abby que cette rencontre ne posait pas de problème. Il avait aussi raconté en détail la virée du lendemain dans une zone rurale, dans le seul but de montrer à Abby les besoins de la Chine en matière d'éducation. Sur le moment, Dominic n'y avait pas prêté attention, considérant ces propos comme un tissu de mensonges, mais à bien y réfléchir… Une personne comme Abby pouvait facilement être manipulée. Dès lors qu'on avait attiré l'attention d'Abby sur l'absence d'éducation des femmes chinoises et qu'on lui avait fait croire que le sort de Dominic dépendait de son action, elle ne pouvait manquer de faire ce qu'elle considérait comme juste. En particulier si elle était tombée amoureuse de lui, comme elle le lui avait avoué un peu plus tôt.

Dominic poussa un gémissement.

Chacune des décisions qu'avait prises Abby était d'une logique implacable. Une personne aimante et moralement bonne en aurait fait autant dans ces circonstances. Rien de ce qu'elle avait fait n'allait à l'encontre de la manière dont elle avait vécu toute sa vie. Elle protégeait ceux qu'elle aimait. Elle se sacrifiait pour ceux qui avaient besoin d'elle. Elle prenait des risques pour les causes qui lui paraissaient importantes.

À l'inverse, lui n'avait rien fait pour la préparer à la situation dans laquelle il allait la plonger. Or, elle avait su naviguer en eaux troubles avec une remarquable aisance compte tenu des difficultés qu'elle avait rencontrées. Il ne pourrait sans doute jamais savoir avec certitude si l'affaire aurait été conclue en sa faveur sans l'avenant mais à coup sûr la présence de Stephan démontrait que des forces étaient à l'œuvre contre lui. Or, personne ne pouvait nier que cette bourse en faveur de l'éducation des femmes avait favorisé une issue positive.

Pour une entreprise de la taille de Corisi Enterprises, cinq pour cent des bénéfices ne représentaient pas un manque insurmontable. Quant au coup de fouet que ce geste généreux allait donner à son image au plan mondial, il était inestimable.

Plus il réfléchissait à la façon dont Abby avait relevé chaque défi, plus son admiration pour elle grandissait. Elle avait glorieusement marché vers le ministre du Commerce de la Chine pour lui remettre les documents, comme si elle avait fait ça toute sa vie. Pourtant, sans savoir si son geste allait lui valoir d'être traitée en héroïne ou en criminelle, elle avait couru le risque pour sauver Corisi Enterprises. Et comment l'avait-il remerciée ? Par des accusations, un kidnapping et encore des insultes.

Elle avait raison : il n'était pas assez bien pour elle. Elle méritait quelqu'un qui saurait voir le don précieux qu'elle était. En imaginant Abby avec un autre homme, Dominic sentit son estomac se nouer.

Il doit bien y avoir un moyen de régler ça.

Son téléphone portable se mit à sonner ; faisant entendre la sonnerie familière de Jake. Il l'ouvrit dans un claquement sec pour le porter à son oreille. Il méritait amplement chacune des foudres que son ami allait lâcher sur lui.

— Tu es devenu fou, Dom ? Tu as perdu la tête ?

Dominic dut écarter le combiné. Pour une fois, Jake avait oublié ses manières posées pour hurler sans retenue.

— Fais demi-tour et largue Abby à Boston avant que tout cela ne devienne un scandale international. Non seulement le contrat risque de tomber à l'eau, mais toi tu risques la prison.

— Je l'aime ! s'exclama Dominic en s'écroulant dans son fauteuil. Mais j'ai merdé.

— Tu crois ? répondit Jake, hors de lui, en postillonnant. Abby a appelé Zhang en larmes. Et maintenant, tu te retrouves avec une Chinoise en pétard sur les bras. Elle est en train de lever une véritable armée pour soutenir Abby sur au moins deux continents. La presse est sur le coup. Murdock lui-même ne peut pas étouffer l'affaire. Ils connaissent la vérité au sujet de l'avenant. Et ils savent parfaitement que tu as forcé Abby à venir avec toi. Tu pourras remercier Stephan sur ce coup-là. En tout cas, elle est instantanément devenue une héroïne du peuple : la petite prof qui permet à des millions de Chinoises d'accéder à l'enseignement supérieur. Pour toi, le verdict est encore en suspens. La presse te qualifie de romantique ou de fou. Tu as intérêt à la faire revenir.

Dominic passa une main dans ses cheveux déjà complètement ébouriffés.

— Jake, est-ce qu'on est obligé de reproduire les erreurs de ses parents ? J'ai l'impression d'être devenu mon père.

Jake prit plusieurs inspirations dans l'espoir de se calmer.

— Tu n'es pas ton père, Dom, et chacun peut choisir celui qu'il est. Nous sommes définis par chacune de nos paroles et de nos actions. Si tu veux arrêter de te comporter comme un con, dis au pilote de mettre le cap sur Boston.

Tout cela avait l'air parfaitement rationnel, mais le fond du problème, c'était qu'il n'avait aucune envie de ramener Abby à Boston. Il venait de découvrir qu'il l'aimait. Il ne pouvait pas la laisser partir.

Rien ne prouvait qu'il n'était pas capable de devenir un homme meilleur. Abby méritait un véritable partenaire à ses côtés. Il ne savait pas au juste ce que cela pouvait impliquer, mais il était disposé à la laisser lui montrer.

— Je ne la ramène pas à Boston. Qu'est-ce qui me reste comme choix ?

Jake marmonna un chapelet de jurons dans sa barbe.

— Et si tu t'excusais et que tu lui disais que tu l'aimes ? Je ne sais pas, un truc fou dans ce genre-là.

Génial.

— Oui, je peux faire ça. Tu as raison. La solution est si simple.

Il y eut un bruit étrange sur la ligne – comme si Jake s'était frappé la tête avec son téléphone. Lorsqu'il reprit la parole, son exaspération transparaissait nettement dans sa voix.

— Rien n'est jamais simple avec les femmes. Mais si tu aimes Abby, c'est le moment ou jamais de le lui dire.

— Conseil matrimonial d'un célibataire endurci ? railla Dominic.

Jake parvint à se calmer suffisamment pour plaisanter à son tour.

— Pourquoi crois-tu que je reste célibataire ? Je connais l'âme féminine.

Dominic se leva, subitement décidé. Une semaine plus tôt, il partageait l'aversion de Jake pour l'engagement. Et là, il se surprenait à espérer follement que le rapport non protégé qu'ils avaient eu allait créer un lien supplémentaire entre lui et la femme sans laquelle il ne pouvait imaginer son existence.

— Je vais le faire. Je vais aller lui dire que je l'aime. Merci, Jake.

Son associé émit un grognement – avant un ultime encouragement lâché à contrecœur.

— Bonne chance, Dom.

Dominic raccrocha, le cœur débordant de confiance. Abby lui avait déjà dit qu'elle l'aimait. Il venait de comprendre que c'était réciproque. Il n'avait plus qu'à la rejoindre dans sa chambre et à lui ouvrir son cœur. *Je pourrais même la demander en mariage.*

Qu'avait-il à perdre ?

Abby releva son visage baigné de larmes en entendant la porte de la chambre qui s'ouvrait. Une migraine douloureuse lui vrillait les tempes. Elle avait l'impression que son minois était tout bouffi. Elle s'assit et se saisit de la boîte de mouchoirs sur une petite étagère à côté du lit. Après s'être mouchée bruyamment, elle serra la boîte contre elle.

— Qu'est-ce que tu veux ? demanda-t-elle d'une voix grave qu'elle peina à reconnaître.

— Je t'aime, annonça-t-il comme si ces mots avaient eu le pouvoir de tout effacer.

— Non.

Abby n'éprouvait rien de la joie qu'elle aurait cru ressentir en l'entendant dire ça.

Les sourcils froncés, Dominic s'avança jusqu'au lit.

— Bien sûr que si.

Abby se moucha de nouveau, puis attrapa une petite poubelle en plastique posée par terre, qu'elle remplit de tous ses mouchoirs chiffonnés en boule.

— Qu'est-ce qui se passe ? Jake t'a appelé pour te dire que Zhang va m'aider à rentrer dès que nous aurons atterri ?

Dominic se balança d'un pied sur l'autre, mal à l'aise.

— Jake m'a appelé, mais là n'est pas la question. J'ai compris que je t'aimais.

Abby serra la boîte de mouchoirs de toutes ses forces et tenta autant que possible de garder la tête froide. Plus question de lire ce qu'elle avait envie de voir dans leurs échanges.

— Non, tu ne m'aimes pas. Tu crois que tu m'aimes parce que je suis soudain devenue quelque chose que tu ne peux pas avoir. Tu n'aimes pas perdre, voilà tout. Mais cela n'a rien à voir avec l'amour.

Les mâchoires de Dominic se contractèrent.

— Tu es la femme la plus entêtée que je connaisse. Tu m'as dit que tu m'aimais. Tu devrais être contente.

Abby lui lança la petite poubelle à la tête. Il l'esquiva de justesse.

— Je serai contente d'être rentrée à Boston pour oublier que je t'ai rencontré un jour.

— Tu ne rentres pas à Boston, annonça Dominic, l'air farouche.

— Je ne resterai pas sur ton île à la con, répliqua Abby.

— C'est ce que nous verrons, lança Dominic en laissant place au crétin dominateur auquel elle avait eu affaire lors de leur première rencontre.

Mais il ne l'intimidait plus – et il était grand temps qu'il s'en rende compte.

—Oh non, je ne resterai pas.

—Parfait! s'exclama-t-il en repartant vers la porte.

—Parfait! renchérit-elle en lui jetant la boîte de mouchoirs pour faire bonne mesure.

Il sortit et claqua la porte derrière lui.

Abby se moucha une nouvelle fois. *Quel abruti arrogant!* Même s'il l'aimait, c'était d'une façon on ne peut plus malsaine. Bien sûr, si elle succombait, elle aurait droit à une nouvelle nuit de passion brûlante, mais après? Elle n'avait aucune envie de passer sa vie à se satisfaire des miettes émotionnelles qu'il lui lancerait probablement entre deux négociations. Mieux valait tout arrêter avant qu'elle tombe encore un peu plus amoureuse de lui.

Elle roula sur le ventre et enfouit son visage dans le tissu frais de l'oreiller. La vie après Dominic n'allait pas être facile. Peut-être pourrait-elle aller enseigner à l'étranger pendant une année? En tout cas, elle n'avait pas le courage de reprendre le cours de sa petite existence en banlieue.

Non, ce n'était pas ça qu'elle avait envie de faire. Elle en avait assez de cavaler. Oui, la vie était injuste. Oui, l'amour faisait mal. Mais elle n'allait pas laisser la fin lamentable de leur histoire gommer toutes les bonnes choses de cette semaine avec lui.

Elle n'allait pas quitter Lil – pas après avoir découvert comment renouer vraiment avec sa sœurette. Lil méritait une sœur à l'image de Zhang, une sœur qui soutient et qui ne juge pas. Une sœur qui propose d'abord de tuer et qui pose des questions ensuite. *Enfin, « tuer » peut-être pas,* se dit-elle en riant aux larmes. En tout cas, les jours où elle donnait des leçons étaient révolus. Zhang lui avait révélé le pouvoir du soutien inconditionnel – et jamais plus elle n'aimerait de la même manière à l'avenir.

Lorsque la douleur d'avoir perdu Dominic s'atténuerait, Abby savait qu'elle en sortirait grandie. Elle ne pouvait pas lui en vouloir de ne pas l'aimer vraiment. Il l'avait bien mise en garde de ne pas s'imaginer des choses. Il n'aurait pas pu être plus clair. Pas une seule fois il n'avait présenté leur petite escapade sous un autre jour que ce qu'elle était vraiment : deux adultes consentants cédant à l'irrésistible attirance sexuelle qu'ils ressentent l'un pour l'autre.

Aucune femme saine d'esprit ne se serait laissée aller à tomber amoureuse d'un homme tel que Dominic. D'autant que cela faisait moins d'une semaine qu'ils se connaissaient. *Incroyable,* songea Abby, *cela a vraiment duré si peu de temps ?* Einstein avait raison. Le temps est une donnée relative. Dans ces quelques journées, elle avait réussi à caser la transformation radicale de toute sa vie.

Sa déclaration d'amour spontanée avait été douloureuse à entendre, mais un jour peut-être, elle lui procurerait un peu de réconfort lorsqu'elle regarderait en arrière. Même si elle ne pouvait pas être cette femme peu exigeante qu'il voulait, d'accord pour rester à l'écart de sa vie à lui, sans doute l'aimait-il à sa façon. Simplement, leurs définitions respectives de l'amour étaient inconciliables.

Absorbée dans ses pensées, Abby n'entendit pas la porte qui se rouvrait. Elle ne perçut sa présence qu'au moment où le matelas s'enfonça sous son poids lorsqu'il s'assit à côté d'elle.

— Personne ne t'a jamais dit que ton obstination avait de quoi rendre dingue ? demanda-t-il d'une voix qui avait dû en faire trembler plus d'un.

Comme d'habitude, elle ne fut guère impressionnée. *Juste un peu de vent qui s'échappe de sa grosse tête.* L'oreiller assourdit sa réplique.

— Personne ne t'a jamais dit que tu étais un crétin ?

— Retourne-toi, Abby. Et écoute-moi, ordonna-t-il en lui posant une main sur une épaule.

— Non, répondit-elle en se dégageant.

Le regarder serait une erreur. Le regarder, c'est le désirer. Et le désirer, c'est oublier pourquoi il est important que tout s'arrête. Je ne le regarde pas.

— Je ne vais pas parler à l'arrière de ton crâne, lança-t-il avec humeur.

— Personne ne t'oblige à me parler.

Elle refusait de céder. *Pars,* supplia-t-elle en silence. *Pars tant que j'ai encore la force de te laisser partir.*

— Bordel, je suis en train d'essayer de m'excuser ! lâcha-t-il dans un grondement excédé.

Des excuses ? Abby renifla. Il fallait qu'elle entende ça. Elle roula sur le côté et essuya une larme sur sa joue.

— Vraiment ? Eh bien, vas-y. Je t'écoute.

L'émotion se lisait sur son visage. Ses yeux aussi noirs que le charbon eurent raison des bonnes résolutions d'Abby. Si elle avait été debout, ses jambes auraient flageolé. Elle n'aurait jamais dû le regarder. Le désir qu'il avait d'elle éveillait chez Abby un désir de lui tout à fait malvenu. Elle lui en voulait toujours. Ce n'était vraiment pas le moment d'imaginer comment ses seins pointeraient sous la caresse brûlante de sa langue.

En proie à son propre combat intérieur, Dominic parla sur un ton où perçait une note de défi.

— Je suis désolé.

Elle était toujours en colère – mais plus après elle-même qu'après lui. Jamais elle ne parviendrait à le convaincre de changer le cap de l'avion si elle ne combattait pas la réaction qu'il lui inspirait. Et même si une nouvelle séance d'ébats amoureux les conduisait à une rare extase, ils n'en finiraient pas moins par se rendre malheureux l'un l'autre. C'était quelque chose qu'elle ne devait surtout pas oublier. Il allait falloir qu'elle soit forte pour deux. Et la colère promettait d'être son meilleur bouclier.

— On ne dirait pas.

Les épaules de Dominic s'affaissèrent. Lorsqu'il reprit la parole, sa voix était chargée d'émotion.

— Je ne sais pas dire ces choses-là, mais je suis vraiment désolé.

— De quoi ? demanda Abby, en luttant de toutes ses forces pour juguler le tsunami de questions qui déferlait dans son esprit.

Elle avait besoin de savoir ce qu'il regrettait exactement. De l'avoir emmenée ? De lui avoir parlé aussi durement ? Ou, pire que tout, de l'avoir trompée en prétendant qu'il l'aimait ?

— Je suis désolé pour toutes ces choses que tu m'as reprochées. Tu avais raison sur toute la ligne.

Abby sentit son cœur se briser – jusqu'à ce qu'il clarifie son propos.

— Excepté lorsque tu as dit que je ne t'aimais pas. Je ne ferais sûrement pas un bon mari. Je ne suis même pas quelqu'un de bien. Mais je sais que je t'aime.

Comme une vague, la joie gonfla en elle, pour refluer aussi vite. Ses excuses avaient beau être touchantes, elles ne changeaient rien. Tout était exactement comme elle l'avait pensé. À sa manière, il l'aimait. Mais à quoi ressemblerait cet amour lorsque s'éloignerait le feu du moment ? Lui-même savait qu'il n'était pas taillé pour une vie d'homme marié.

— Que veux-tu au juste, Dominic ? demanda-t-elle avec lassitude.

Il se tourna vers elle, posa une main sur chacune de ses épaules, puis se pencha sur elle au point qu'elle put distinguer les petites taches noires qui pailletaient ses yeux gris tourmentés.

— Je ne pensais pas tout ce que je t'ai dit tout à l'heure. J'étais furieux. Ça ne justifie rien, mais je veux que tu saches que je te crois. Je sais que tu essayais seulement de m'aider. Et moi, je refusais d'admettre qu'à toi toute seule tu avais probablement sauvé mon entreprise. J'aurais dû te remercier au lieu de te fustiger. Tu mérites un homme capable de te traiter en partenaire et en égale.

L'émotion remuait Abby au plus profond d'elle-même. Un jour, le souvenir de ses excuses serait un réconfort ; pour l'heure, elles demeuraient insuffisantes pour entamer sa résolution.

— Oui, c'est vrai. Je le mérite.

Dominic fit doucement glisser ses doigts à travers les boucles d'Abby, pour finir par poser ses mains à l'arrière de la tête de la jeune femme.

— Je sais que je n'ai pas fait grand-chose qui te le prouve, mais je pourrais être cet homme, Abby.

D'une main légère, Abby caressa la joue du milliardaire.

— Merci de ces excuses, Dominic. Ça m'aurait déchirée que nous nous quittions en mauvais termes. Seulement, tu sais aussi bien que moi que cette histoire ne peut pas fonctionner. Nous sommes trop différents.

— Je ne te ramène pas à Boston ! s'exclama Dominic d'une voix où pointait un début d'affolement, les traits subitement figés.

D'un geste empreint de tristesse, Abby vint poser un index sur ses lèvres.

— Je ne peux pas faire ça, Dominic. Je pensais qu'être à tes côtés serait suffisant, mais ce n'est pas le cas. Ne rendons pas les choses inutilement difficiles. Te perdre va déjà être suffisamment douloureux.

Dominic lui prit la main.

— Tu n'es pas obligée de me perdre. Je veux t'épouser.

Abby lui serra la main une ultime fois, puis la retira.

— Et après, Dominic, qu'est-ce qui se passe ? Tu me gardes dans une grande demeure dans les Hamptons, où tu me rends visite entre deux contrats ? J'ai besoin de plus que ça. Je veux tout : la maison, les enfants, quelques chiens et un mari qui partage ce rêve avec moi. Je veux le genre de partenariat que mes parents avaient. Ne me demande pas de m'installer si tu n'es pas prêt à me donner tout ça, Dominic. J'en serais anéantie.

Dominic se pencha pour rapprocher son visage de celui d'Abby.

— Je veux la même chose, Abby. Laisse-moi une chance et je passerai le reste de ma vie à te le prouver chaque jour.

— Arrête, dit Abby dans un sanglot.

Elle avait compris que dans le feu du moment, il pourrait dire n'importe quoi sans rien démontrer par la suite.

— Ne dis pas des choses comme ça. C'est déjà assez dur de te quitter. Ne me donne pas plus de regret.

Dominic la serra plus fort contre lui.

— Comment est-ce que je peux te convaincre ? Qu'est-ce que je dois faire pour que tu me croies ?

Abby se détourna – pour enfouir tant bien que mal son visage dans l'oreiller.

— Demande au pilote de faire demi-tour, répondit-elle d'une voix misérable. Ramène-moi à Boston et va-t'en. Prouve-moi qu'à tes yeux, ma volonté est plus importante que ta victoire.

Dominic demeura silencieux un instant.

— C'est vraiment ça que tu veux ? Boston ?

— Oui, répondit-elle dans un murmure.

— Et puis je m'en vais ? Comme ça ?

Abby perçut bien la douleur dans sa voix, mais refusa de se laisser attendrir. Qu'arriverait-il si elle cédait ? Deviendrait-elle un trophée de plus exposé dans l'une de ses nombreuses demeures ? Ce n'était pas la vie qu'elle voulait.

— Oui, marmonna-t-elle. Tu t'en vas.

Il resta assis à côté d'elle pendant ce qui parut, à Abby, durer une éternité.

— D'accord, dit-il finalement en se levant.

De surprise, Abby releva la tête.

— D'accord ?

Les phalanges de la main de Dominic sur la poignée de la porte étaient aussi blanches que sa voix – étrangement dénuée de toute émotion.

— D'accord. Je te ramène à Boston. Et je prends des dispositions pour qu'une limousine vienne te chercher à l'aéroport.

Lorsque Dominic ouvrit la porte pour sortir, Abby dut se mordre les lèvres pour lui crier de ne pas partir. Ses yeux gris en plein tumulte se posèrent sur elle.

— Mais sache que je t'aime et que j'ai changé grâce à toi. Si tu me laissais une seule chance, tu pourrais le constater par toi-même. Un seul mot de toi et j'abandonne tout pour que nous puissions redémarrer de zéro. Bâtir une nouvelle existence. Ensemble. Comme des partenaires dans ce que nous aurons décidé d'entreprendre. Peu m'importe l'argent. Désormais, tu es ce qui compte à mes yeux.

Ses paroles coupèrent littéralement le souffle d'Abby. Dominic referma la porte avant qu'elle se soit ressaisie.

Il n'était pas sérieux. *Il n'a pas parlé sérieusement.*

Peu après, Abby sentit l'appareil s'incliner sur la droite et changer de cap. Dans une ou deux dizaines d'heures, elle serait de retour chez elle. Tout allait donc pour le mieux. Peu à peu, Abby fut envahie par un sentiment étrange, à mi-chemin entre le soulagement et la tristesse. Elle alla s'asseoir près d'un hublot. Les nuages s'étiraient sous l'appareil. Une pointe d'inquiétude s'insinua en elle. Et si elle avait mal jugé Dominic ? S'il n'était vraiment qu'un dominateur abruti, pourquoi l'avion volait-il vers Boston ? Un homme comme son père n'aurait pas proposé de changer plus que sa chemise pour complaire à sa femme. Dominic lui avait proposé de changer complètement de vie pour elle.

Et s'il avait parlé sérieusement?

En revenant à Pékin, n'avait-elle pas décidé de se battre pour récupérer Dominic? Or, alors qu'il venait de lui proposer de tout abandonner si elle restait avec lui, voilà qu'elle se terrait dans la chambre au lieu de se jeter triomphalement dans ses bras.

Combien de temps encore allait-elle laisser la peur dominer sa vie? Il lui avait dit qu'il l'aimait et qu'il voulait passer le reste de ses jours à le lui prouver. Que demander de plus? Aucune relation au monde n'était livrée avec une garantie.

Il l'aimait suffisamment pour la laisser s'en aller. La balle était désormais dans son camp. L'aimait-elle assez pour rester?

Oui. Le mot jaillit de son cœur, de son esprit. Et de sa bouche.

Elle bondit de son siège pour traverser la chambre. Ses pieds ne touchaient plus le sol. Avec tout l'enthousiasme d'une femme qui vient de se rendre compte que celui qu'elle aimait l'aimait en retour, mais qu'en plus il était assez idiot pour l'écouter lorsqu'elle lui avait demandé de la laisser, Abby ouvrit la porte à la volée.

Et percuta pratiquement Dominic qui se trouvait juste derrière.

Il glissa prestement son téléphone portable dans sa poche.

— Je ne veux pas aller à Boston, lâcha-t-elle abruptement. Je ne veux pas que tu renonces à ta vie.

246

Je veux juste que tu la partages avec moi. Je t'aime, Dominic.

Il la prit entre ses bras pour l'embrasser avidement. Leurs mains s'entrelacèrent avec la ferveur des amants réunis. Il interrompit leur baiser pour enfouir son visage dans le cou de la jeune femme. Elle le sentit sourire contre sa peau.

— Est-ce qu'il faut que je rappelle Scott pour lui dire de chercher autre chose pour reconquérir ma clientèle ? Il était curieusement disposé à m'aider à t'escamoter dans une maison isolée si je n'arrivais pas à te convaincre de rester avant qu'on atterrisse.

Abby se recula et posa une main sur la hanche en un geste d'indignation.

— Quoi ? Tu voulais me kidnapper encore une fois ?

Il l'attira de nouveau contre lui, serrant ses joues empourprées contre son torse.

— Pourquoi « encore une fois » ? Je n'ai jamais cessé de te kidnapper.

Abby avait du mal à rester en colère contre Dominic alors qu'il la serrait ainsi contre lui. Elle ressentit le petit papillonnement familier au creux de son ventre. Néanmoins, il fallait qu'il sache qu'il n'était pas question que les choses aillent toujours comme lui le voulait.

— Ce n'est pas drôle. Tu devais me prouver que tu m'aimais en me laissant partir.

Un sourire penaud parut sur le visage de Dominic, avant de disparaître bien vite.

— Je n'ai jamais été d'accord avec ça. Tout ce que j'ai dit, c'est que j'allais te ramener à Boston. Mais te laisser partir n'a jamais été une option.

D'un revers de main, Abby lui assena une tape sur le torse.

— Je suis venue te retrouver parce que je pensais que tu m'aimais au point d'accepter de ne plus jamais me revoir.

Dominic prit les mains d'Abby dans les siennes.

— Je ne t'aime pas à ce point-là.

De saisissement, Abby eut le souffle coupé. Mais la suite de l'explication lui réchauffa le cœur.

— Je t'aime plus que ça, poursuivit Dominic. Demande-moi d'abandonner mon entreprise, de déménager à Boston, de me plier à des horaires de bureau, et je le ferai pour toi. Je t'aime à ce point-là. Mais ne me demande pas de m'en aller. Je ne peux pas. J'ai besoin de toi.

Dans un grand cri d'allégresse, Abby se lança dans les bras de Dominic. Des larmes de joie ruisselèrent sur ses joues.

— Je ne sais pas ce que j'aurais fait si tu m'avais écoutée et que tu étais parti.

Il recula pour la tenir à bout de bras.

— Et tu ne le sauras jamais. Je ne vais nulle part et toi non plus. Abby, épouse-moi.

La plupart des femmes aurait répondu « oui ». Mais Dominic n'avait pas choisi n'importe quelle femme. Il avait choisi Abby – une femme qui considérait que faire monter la tension artérielle de Dominic constituait une forme de préliminaires parfaitement irrésistible.

— Veux-tu ? dit-elle sur un ton ambigu.

Cette réponse le déstabilisa un instant.

— Comment ça ? Que veux-tu dire ? demanda-t-il, la tête inclinée sur le côté.

Abby répondit d'une voix guindée de bibliothécaire.

— Une demande en mariage se formule généralement sous une forme interrogative, et non pas impérative.

Face à la mine abasourdie de Dominic, Abby lui souffla la formule.

— Veux-tu m'épouser ?

— Oui, je le veux. Merci de m'avoir posé la question. J'ai hâte de pouvoir dire à nos enfants que c'est toi qui as demandé ma main.

Dominic éclata de rire, sans même tenter de dissimuler la joie que lui procurait le fait d'avoir été plus habile qu'elle.

— Je ne viens pas de te demander en mariage ! s'exclama Abby en faisant de son mieux pour dissimuler le fou rire qui la gagnait.

Elle lui assena un coup sur l'épaule, mais cela ne fit qu'amplifier son hilarité.

— Retire-le.

Il se glissa encore plus près d'elle, en la serrant entre ses bras.

— Que je retire mon « oui » ?

— Oui, répondit Abby, sans se soucier du côté loufoque de leur échange. Pas question que tu dises à nos enfants que je t'ai demandé en mariage dans l'avion qui nous ramenait à Boston, après m'avoir kidnappée.

Dominic prit le visage d'Abby entre ses mains pour l'embrasser doucement. Il riait encore lorsque leurs lèvres s'unirent.

— Est-ce que c'est important de savoir qui fait la demande ? Le résultat est le même, non ? *Absolument.* Son objection se limita à un simple plissement des yeux. Elle espérait que son homme se montrerait assez intelligent pour l'interpréter correctement.

Il cessa de rire et la prit par les épaules.

— Abigail Dartley, veux-tu m'épouser ?

Cette fois-ci, elle décida d'anticiper toute éventuelle taquinerie.

— Oui ! Oui ! Oui ! répondit-elle en se jetant de nouveau dans ses bras.

— Tu veux toujours voir mon île ? demanda Dominic entre deux baisers.

— Maintenant ? demanda Abby, le souffle court. C'est possible ?

— Oui, répondit Dominic avec une petite mimique ironique. Tout ce qu'il faut, c'est informer le capitaine qu'on change de cap – une fois encore.

— Le pauvre, dit Abby en riant. Il va croire que tu as perdu l'esprit.

— J'ai en tête plusieurs façons dont tu pourrais te faire pardonner, dit Dominic avec une voix de velours. Je me félicite que ce vol dure longtemps.

Ensuite, il appela le cockpit via le téléphone de la chambre. Après avoir communiqué le nouveau plan de vol, Dominic se tourna vers Abby.

— Où en étions-nous? Ah oui, tu étais sur le point de faire quelque chose pour me réconforter d'avoir clamé à la face du monde que je suis fou de toi.

À pas lents, Abby traversa la chambre en semant ses vêtements.

— Tu n'es pas fou… Peut-être un peu impulsif.

— Tu dis ça parce que j'ai demandé à mes hommes de te conduire à l'avion? Je ne pouvais pas te laisser partir. J'ai paniqué. J'espère que je ne t'ai pas effrayée.

La voix de Dominic grimpa soudain d'une octave lorsqu'une Abby absolument nue tira d'un coup sec sa chemise de son pantalon. Puis il écarquilla les yeux de plaisir lorsqu'elle poursuivit ses initiatives pleines d'audace.

— Est-ce que j'ai l'air effrayée? demanda-t-elle en l'attirant à elle par la ceinture – qu'elle entreprit ensuite de défaire.

— Non, répondit-il d'une voix rauque tandis qu'un sourire lourd de sous-entendus s'épanouissait sur son visage.

Avec des gestes délibérément lents, Abby – qui goûtait fort le trouble de Dominic – fit glisser le pantalon et le boxer jusqu'aux chevilles de son amant. Elle se délecta du frisson de plaisir que son souffle chaud fit naître sur les cuisses de Dominic.

— J'ai un aveu à te faire. Je trouve cette histoire de kidnapping infiniment excitante. Et ce petit ton de conquérant est émoustillant à souhait. Quand je me suis retrouvée embarquée pour ton île privée, je me suis mise à imaginer toutes sortes de vilaines choses.

— Vraiment ?

Son regard trahissait son intérêt – tout comme la façon dont son sexe durcit instantanément entre les mains d'Abby. Il ôta rapidement sa chemise, puis se pencha pour la soulever sans le moindre effort. Du bout de la langue, il traça un petit chemin passant par le ventre d'Abby pour tourner plusieurs fois autour de ses seins. Les pointes se dressèrent sous l'effet de ces attentions.

— Alors quand j'étais en colère, tu m'imaginais en train de faire ça ?

Il la fit glisser contre lui, savourant le contact de ses seins dressés contre son torse. Puis il se pencha en avant pour glisser un doigt dans son intimité déjà humide. Abby se cambra en arrière avec un soupir de plaisir.

— Lorsque tu es revenu et que tu m'as jetée sur le lit, j'ai eu envie de t'attirer contre moi, murmura-t-elle timidement en frissonnant de tout son corps.

Il explora sa bouche tout en maintenant le rythme de sa main de telle sorte qu'Abby venait buter contre son pouce habile, tandis que son sexe contracté enserrait amoureusement son doigt.

— Tu aurais dû, dit-il d'une voix sourde.

— Et qu'aurais-tu fait ? demanda-t-elle en haletant.

Les derniers vestiges de sa pensée cohérente se délitaient sous les vagues de plaisir qui la submergeaient.

Dominic l'emporta jusqu'au lit et se tint en équilibre au-dessus d'elle. Du bout de sa virilité dressée, il la titillait doucement, entrant et sortant, jusqu'à ce que le désir la fasse se cramponner à ses épaules.

— Ce qu'aurait fait tout conquérant qui se respecte, répondit-il, visiblement satisfait.

Puis il plongea en elle, pour les emporter tous les deux vers un lieu où toute conversation devenait impossible.

Chapitre 17

Isola Santos, l'île privée de Dominic, se dressait hors des flots, à une centaine de kilomètres de la côte au large de Naples, semblable à une forteresse de rochers. Sa colossale demeure de verre et d'acier, qui dominait environ un quart des cinquante hectares de terres émergées, aurait paru plus à sa place dans le quartier des affaires d'une capitale du monde, plutôt qu'au-dessus de structures de pierre du dix-huitième siècle – que Dominic disait d'ailleurs vouloir retirer.

Comme tant d'autres de ses possessions, celle-ci ne faisait guère d'efforts pour se fondre dans le décor. Tous les éléments qui la composaient dégageaient une impression de richesse. Le hall de sa grande entrée, d'une hauteur de trois étages de verre et de chrome poli, se prolongeait vers l'extérieur en une vaste structure rectangulaire renfermant des jardins, des bassins de piscines olympiques et même une petite écurie qui n'était pas sans évoquer quelque fort contemporain.

Pendant le tour du propriétaire, Abby perdit le compte des chambres à coucher. Elle adora la salle de cinéma, mais la vue de deux portes coulissantes d'aspect chromé l'arrêta. Les mains sur les hanches, elle se tourna vers Dominic.

— Un ascenseur ? Vraiment ? Est-ce bien nécessaire ?

Dominic rougit légèrement.

— C'est trop ?

Abby secoua la tête, un peu troublée. La visite se poursuivit par une porte donnant sur une immense terrasse surplombant tout un côté de l'île. Personne n'aurait pu nier la froide beauté du paradis moderne que Dominic s'était bâti, mais il ne cadrait pas vraiment avec l'homme qu'elle connaissait, ni avec l'île.

— Dom, ne te méprends pas sur mes paroles. Cet endroit est magnifique...

Dominic enserra la taille d'Abby par-derrière et respira le parfum de ses cheveux.

— J'ai décelé un « mais » dans le ton de ta voix, dit-il avec un soupir heureux.

Abby maintint les bras de son amant contre son ventre.

— Ça ne te ressemble pas. Et si ça te ressemble, aurais-tu vraiment été capable de tout quitter pour Boston si je te l'avais demandé ?

Dominic la serra encore plus étroitement.

— Il y a un mois, j'en aurais été incapable. Comme bien d'autres choses que je possède, j'ai fait bâtir cette maison simplement pour prouver à mon père que j'étais plus fort que lui. C'est triste, non ? Consacrer autant de temps et d'argent à des choses sans importance.

Abby entendit la tristesse dans sa voix — et son cœur se serra.

— Ça n'a pas été en vain, Dominic. Regarde ce que tu as créé. C'est magnifique.

Doucement, il la retourna entre ses bras pour la regarder dans les yeux. La sincérité dans son regard gris était telle qu'Abby sentit presque son cœur se briser.

— Non, toi tu es magnifique. Il faut appeler un chat un chat, Abby. Cet endroit est clinquant et tapageur. Avant de te rencontrer, il y avait en moi un vide que je ne m'expliquais pas. Je pensais que si je gagnais plus d'argent, si j'achetais plus beau ou bâtissais plus grand, alors je pourrais combler ce vide. Mais ça n'est jamais arrivé. Tout ce que j'accaparais, toutes les décisions que je prenais, ne profitaient qu'à moi seul, et rien de tout ça ne me rendait heureux. Notre programme de bourses en Chine est la première chose qui me rende fier depuis bien longtemps. Je ne peux d'ailleurs pas m'en attribuer le mérite, puisque tu m'as forcé à le faire, mais tout de même. Ça fait du bien.

— Oh, Dom, tu sous-estimes le bien que tu fais ! Et Marie Duhamel ? Elle m'a dit que tu l'avais aidée quand elle ne savait plus vers qui se tourner. Est-ce qu'un égocentrique ferait ça ?

Abby posa une main sur la joue de Dominic — et sentit son sourire avant de le voir.

— Une bonne action ne suffit pas à faire un saint, dit-il tristement.

— Je ne veux pas d'un saint, Dom. Je te veux toi.

Il inclina la tête sur le côté pour l'inviter à continuer.

— Je suis tombée amoureuse de l'homme qui était revenu à Boston, poursuivit-elle, parce que sa sœur avait besoin de lui, mais qui cependant ne voulait pas la voir seul, de sorte qu'il a exercé un chantage sur moi pour me convaincre de l'accompagner.

Abby adora voir les joues de Dominic s'empourprer.

— À ce stade, je crois bien que mon unique préoccupation, c'était de trouver comment t'avoir toute nue.

Abby lui pinça le ventre pour le réprimander gentiment.

— Tu peux dire ce que tu veux, mais à la manière dont tu t'es accroché à ma main, j'ai tout compris.

— Je n'ai pas…, commença-t-il, avant de renoncer sagement. Quoi qu'il en soit, je veux que tu saches que je ne suis plus l'homme qui a fait bâtir ce monstre. À l'avenir, je veux faire quelque chose de plus important avec notre argent. Que dirais-tu d'une bourse à l'intention des enfants des quartiers déshérités aux États-Unis ? Je crois que Corisi Enterprises pourrait bien y consacrer encore cinq pour cent.

Abby se mit à trépigner d'enthousiasme entre ses bras.

— Dominic, c'est génial ! dit-elle en couvrant sa joue de baisers. Tu es un homme fabuleux.

— Je sais, répondit-il avec un petit sourire satisfait, mâtiné de quelque chose d'autre.

À la façon dont il commençait à bouger contre elle, Abby comprit que l'esprit de Dominic s'éloignait déjà de l'évaluation de son caractère pour retourner à la grande chambre à coucher qu'il lui avait montrée quelques instants plus tôt.

— Est-ce que je t'ai dit combien je suis heureuse d'être ici ? dit-elle en posant un doigt sur la lèvre de Dominic. Même si je ne suis plus retenue contre mon gré.

Il la serra plus fort contre lui, la soulevant légèrement du sol.

— Je vais faire de mon mieux pour être à la hauteur de ton fantasme.

Il la balança sur son épaule et brama à la façon d'un pirate d'opérette.

— À moi la gueuse ! Je l'emporte dans ma tanière pour la baiser à ma guise. Aaah.

Abby riait contre le dos de Dominic.

— Tu as bien fait de te lancer dans l'informatique plutôt que dans le théâtre.

Dominic la fessa gentiment tout en la maintenant sur son épaule.

— Ne te moque pas de ton ravisseur, femme ! Ton insubordination mérite châtiment.

Juste avant que Dominic ne franchisse le seuil de la vaste double porte donnant accès à l'intérieur, le charme fut rompu par le fracas de deux hélicoptères venus se poser sur la pelouse de l'autre côté de la maison.

Toujours la tête en bas, Abby vit avec horreur un avion militaire qui atterrissait sur la piste visible au loin.

Dominic redéposa Abby sur ses pieds, à côté de lui. Côte à côte, ils demeurèrent dans un silence stupéfait pendant un long moment, jusqu'à ce que Dominic finisse par poser une question d'une voix où perçait une note d'humour.

— Est-ce que tu as rappelé Zhang pour l'avertir que nous étions réconciliés ?

— Merde, dit Abby en plaquant une main sur sa bouche.

D'un geste, Dominic fit venir un de ses gardes pour qu'il lui expose la situation calmement. Dominic acceptait cette péripétie avec une grâce surprenante.

— Eh bien, tu devrais peut-être l'appeler, dit-il en tendant son portable à Abby. Parce que les hommes qui sautent de cet avion sont armés de mitraillettes. Et je doute qu'ils prennent la peine de m'écouter.

Le rire de Zhang retentit par la voix des ondes en réponse aux explications aussi piteuses que précipitées d'Abby. Peu après, les hommes déployés autour du terrain d'aviation se regroupèrent, avant de remonter à bord. L'appareil remonta la piste pour aller se positionner en vue du décollage. Abby laissa échapper un soupir de soulagement et accéda bien volontiers à l'unique demande de Zhang.

Après avoir refermé le téléphone, Abby le rendit à Dominic.

— Qu'est-ce qu'elle a dit ? demanda-t-il.

— Elle veut être invitée au mariage, répondit Abby avec un sourire – sans parvenir pour autant à se défaire de la sensation de malaise causée par ce que Zhang avait encore dit. Mais il y a autre chose, Dominic. Elle m'a juré qu'elle n'avait pas envoyé d'hélicoptères. Alors, à qui sont ceux qui ont atterri sur la pelouse ?

Des gardes jusque-là invisibles investirent les points stratégiques de la maison, tandis que d'autres fonçaient au-devant des intrus. Dominic et Abby s'élancèrent derrière eux. Les journalistes ne seraient pas assez fous pour les suivre jusque-là. Abby doutait que Dominic accepte facilement une violation de son île privée. Des systèmes d'alarme clignotaient dans toute la maison. La forteresse de verre jouissait d'une protection que ses prédécesseurs médiévaux auraient enviée.

— La cavalerie vient d'arriver, déclara Abby sur un ton ironique lorsque le premier des intrus sortit du cockpit.

Marie Duhamel, toujours d'une efficacité redoutable, était suivie de Jake, un bras protecteur passé sur les épaules de Lil et son bébé.

— Est-ce que tu as rappelé Jake ? demanda Abby en imitant le ton que Dominic avait employé quelques instants plus tôt.

Dominic salua d'une petite moue complice ce trait d'humour qui avait fait mouche.

La porte du second hélicoptère s'ouvrit et Thomas Brogos, l'avocat de la famille Corisi, apparut aux côtés d'une femme âgée qu'Abby ne connaissait pas. La main de Dominic devint glacée dans celle d'Abby.

— Qu'est-ce qui se passe ? demanda Abby en notant le regard de Dominic rivé sur la nouvelle venue. Qui est-ce ?

— Ma mère, coassa-t-il.

Abby parvint à rester stable sur ses jambes flageolantes, mais uniquement parce qu'elle voulait à tout prix faire bonne figure pour soutenir Dominic. Sa mère ? Sur cette île ? Comment était-ce possible ?

Lil passa Colby à Jake, puis sortit du groupe en courant pour venir serrer sa sœur dans ses bras.

— Ça va, Abby ? Tout va bien ? demanda-t-elle avec entrain.

— Oui, tout va bien, Lil, répondit Abby en lui rendant son étreinte.

Lil recula d'un pas, les mains sur les épaules de son aînée, pour scruter intensément son visage à la recherche d'un éventuel signe de mauvais traitement.

— Aux informations, on raconte que Dominic t'a pratiquement forcée à venir ici. J'ai immédiatement appelé Jake, et il a pris des dispositions pour qu'un jet nous emmène, Marie et moi, à Alghero. Jake disait que tu allais bien, mais je préférais m'en assurer moi-même. Est-ce que c'est un genre de vengeance pour ce que je t'ai fait subir tout au long de ces années ?

Tout sourires, Abby rassura sa sœur – qui paraissait désormais bien décidée à prendre la vie à bras-le-corps.

— Ce n'était rien d'autre qu'un malentendu.

Marie Duhamel arrivait à son tour.

— Dominic, vous devez relâcher Abby immédiatement, dit-elle en montrant du doigt les gardes disséminés sur toute la pelouse. Vous avez dû faire mourir de peur la pauvre petite avec vos jeux de macho épris de pouvoir. De mon temps, les hommes faisaient preuve d'un peu plus de respect…

Ses récriminations cessèrent lorsque Abby parvint à s'arracher des bras de sa sœur pour donner une accolade à la vieille dame.

— Il m'a demandé de l'épouser, Marie. Et j'ai dit oui !

La surprise fut telle que Marie manqua de s'étrangler avant de serrer à son tour Abby dans ses bras.

— Dans ce cas tout est parfait.

Abby n'avait pas tout de suite remarqué, dans le feu de l'action, que Dominic n'était plus à ses côtés. Elle se retourna pour voir sa réaction – et le vit qui se tenait un peu à l'écart, à quelques pas de la femme qui lui ressemblait étrangement.

— Mère, dit-il sur un ton qui sonnait comme une accusation.

La femme s'avança vers lui, malgré l'expression fermée sur le visage de son fils.

— Dominic ! s'exclama-t-elle en pleurant.

— Je te croyais morte.

Le visage figé de Dominic ne montrait aucune émotion, aussi froid et inerte que sa main tout à l'heure dans celle d'Abby.

— Il fallait que tu le croies, Dominic.

Elle se tordait les mains. Ses yeux le suppliaient de comprendre.

— Vraiment ? dit-il, comme s'il évoquait un fait ancien sans grand intérêt désormais.

D'un coup, sa mère vint jusqu'à lui.

— Si ton père avait su que j'étais en vie, rien n'aurait pu l'empêcher de me traquer. Il m'aurait fait payer le fait d'avoir osé le quitter. Jamais je n'aurais été en sécurité.

— Tu aurais pu me prévenir, répondit-il d'une voix un peu hachée. Pendant des années, je t'ai cherchée. J'ai dépensé sans compter, j'ai demandé à un nombre incalculable d'agences de fouiller le monde entier pour te retrouver. Et partout, on m'a dit que tu étais morte.

Elle essuya une larme sur sa joue et jeta un regard à l'homme à côté d'elle.

— Je suis rentrée au pays, Dominic. Dans mon village. Il y règne une loyauté qu'aucune fortune ne pourrait acheter.

— Tu oses parler de loyauté ? explosa Dominic. Toi qui nous as quittés.

Sa mère se recroquevilla. Les paroles de son fils la blessaient durement.

— J'étais faible, Dominic. Ton père avait écrasé tout ce qui me restait de confiance en moi. Il ne m'aurait jamais laissée partir. Et moi, je ne pouvais pas t'emmener avec moi. Tu avais dix-sept ans. Tu étais presque un homme. Et puis, rester avec lui te garantissait un avenir financier que je ne pouvais t'offrir. De retour en Italie, j'ai simulé ma mort et pris une nouvelle identité, sans savoir si ce plan allait tenir. Pendant des années, j'ai vécu en personne traquée et en fuite, ici et là, grâce à l'argent que les gens avaient la bonté de me donner. Quel genre de vie cela aurait été pour toi ?

Dominic avait blêmi de colère.

— Je ne voulais pas de son héritage. J'ai quitté la maison après ton départ. Tu aurais pu revenir vers moi à ce moment-là. Tu aurais pu faire passer un message à l'un de mes enquêteurs. Pourquoi ne t'es-tu pas manifestée ? J'aurais pu te protéger.

Sa mère avait pâli, elle aussi. L'émotion faisait trembler ses frêles épaules.

— Au début, tu étais trop jeune, Dominic. Ton père t'aurait écrasé comme il m'avait écrasée. C'était un homme vindicatif. Ensuite, lorsque tes affaires ont décollé…

— Oui ? grinça-t-il. Pourquoi n'es-tu pas venue à ce moment-là ?

— On ne parlait que de toi dans les journaux. Tu rachetais une entreprise après l'autre…, répondit-elle d'une voix qui allait s'amenuisant.

Dominic restait muré dans un silence accusateur. Elle poursuivit, dans un murmure douloureux.

— Tu étais tellement comme ton père. J'étais terrifiée à l'idée de venir à toi. Je ne savais pas si tu serais capable de me pardonner. Et j'avais toujours peur de ce que ton père pourrait me faire s'il découvrait que j'étais encore en vie.

Dominic s'emporta à cet instant. Ses poings se serrèrent.

— Et donc, maintenant qu'il est mort, tu crois que tu peux débarquer comme ça et annoncer que ce n'était qu'un tour de passe-passe, une ruse ? Pourquoi es-tu là aujourd'hui ?

Abby vint à côté de lui et prit l'une de ses mains serrées entre les siennes. Elle la tenait tout simplement en élevant une prière muette. *Fais-moi une place, laisse-moi intervenir. Ne me rejette pas.*

Dominic avait dit qu'il était prêt à partager sa vie avec quelqu'un, à devenir un véritable partenaire. Abby sentit la piqûre de l'aiguillon du doute, de voir sa décision si rapidement mise à l'épreuve du feu. Que ferait-elle s'il lui disait que cette histoire ne la regardait pas ? Les circonstances extrêmes ne font pas toujours ressortir le meilleur de nous. Et qu'y avait-il de plus extrême que de voir descendre d'un hélicoptère la mère qu'on avait crue morte pendant tant d'années ?

Mais qu'est-ce que je fais ? Il n'a rien à me prouver. Il m'aime.

S'il avait besoin de gérer seul cette confrontation, alors elle soutiendrait son choix. Elle relâcha donc la main de Dominic et se prépara à se mettre en retrait.

Immédiatement, les doigts de Dominic vinrent s'entremêler aux siens. Doucement, il la ramena vers lui. Abby lui serra la main pour lui exprimer son amour et sa confiance; il lui répondit de même sans la moindre hésitation. L'espace d'un instant, il se détourna de sa mère pour poser un regard reconnaissant sur elle.

Et Abby tomba amoureuse de lui une nouvelle fois. De cet homme bon et doux qui était en lui et qu'il n'aimait pas toujours montrer. C'était la raison pour laquelle elle l'avait cru lorsqu'il avait dit être prêt à tout laisser pour tout recommencer avec elle.

La voix brisée de la mère de Dominic capta de nouveau leur attention.

— Je sais que j'ai commis une faute, Dominic. J'étais faible. J'étais morte de peur. Je voudrais pouvoir revenir en arrière pour tout effacer. Mais lorsque j'ai entendu parler d'Abby et toi, j'ai compris qu'il fallait que je vienne tout t'expliquer – avant que tu ne puisses répéter les erreurs de ton père.

— Je n'ai pas besoin de ton aide. Je ne suis pas mon père, gronda Dominic.

L'évocation d'Abby avait ravivé sa colère.

Jake, qui s'était rapproché, intervint à cet instant.

— Dom, écoute-la. Elle est venue pour toi. Elle sait qu'elle a commis une erreur, mais elle te demande de lui pardonner. En toute honnêteté, pourrais-tu lui dire en face que tu n'as toi-même jamais commis quoi que ce soit dont tu aies à rougir? N'as-tu absolument aucun regret, Dom?

Dominic serrait la main d'Abby à lui faire mal. Il fusilla Jake d'un regard noir.

— C'est pénible que tu me connaisses si bien !

Son regard se reporta sur sa mère. Pour la première fois, il la voyait comme une véritable personne. À contrecœur, il fit son *mea culpa*.

— En vérité, je ne vaux pas mieux que toi, mère. J'ai abandonné Nicole pour les mêmes raisons. Sauf que j'ai agi plus par colère que par peur. Mais sincèrement, je pensais qu'elle serait mieux dans sa cage dorée avec lui, que dans le caniveau avec moi.

Thomas passa un bras rassurant autour de la taille de la mère de Dominic. De toute évidence, il ne voulait pas interférer avec Dominic, mais simplement signifier qu'il n'entendait pas non plus qu'on fasse du mal à la femme à ses côtés.

— Pourras-tu un jour me pardonner, Dominic ? demanda sa mère d'une petite voix.

Le silence s'appesantissait dans l'air doux de la Méditerranée.

Abby se cala sous le bras de Dominic et passa une main caressante sur sa mâchoire crispée.

— Dominic, je donnerais tout pour une journée de plus avec ma mère. Cette deuxième chance d'avoir une famille t'est offerte. Saisis-la.

Dominic baissa la tête pour la regarder. Son amour pour elle inondait ses traits.

— J'ai déjà trouvé ma famille, dit-il en la serrant contre lui.

Marie Duhamel se moucha – avant de le réprimander.

— Dominic, dites immédiatement à votre mère que vous lui pardonnez. Vous aurez tout le temps d'embrasser Abby après votre mariage.

Tout le monde regarda Marie Duhamel avec des yeux ronds, tandis qu'elle poursuivait sur le même ton sévère, presque comique.

— Vous savez que j'ai raison. Vous êtes généralement un gentil garçon, mais vous perdez parfois un peu la tête lorsqu'Abby est dans les parages. Il est inutile que votre mère continue à angoisser pendant que vous rêvassez.

Dominic gratifia Abby d'un sourire contrit.

— C'est vrai, tu sais. Je perds complètement la tête quand tu es là.

Pleurant et riant à la fois, Abby lui retourna son sourire.

— Ce n'est pas grave. Ça me va très bien de te dire ce qu'il faut faire.

Le sourire de Dominic se mua en une grimace un peu déconcertée.

— Et ça veut dire quoi ça, Abby ?

Jamais à court de conseils, Abby redressa les épaules et s'éclaircit la voix.

— Bien, par ordre d'exécution, je crois que tu devrais aller serrer ta mère dans tes bras et lui dire que tu l'aimes. Ensuite, tu devrais aussi aller serrer Marie dans tes bras, parce que comme mère de substitution, je crois qu'elle a fait un travail fabuleux. Et après, je crois que nous pourrions inviter tout le monde à entrer à l'intérieur, avant de fondre au soleil.

— Ce sera tout? demanda Dominic, les yeux écarquillés.

— Pour aujourd'hui, plaisanta Abby en s'écartant de lui. Demain, j'entame une nouvelle liste.

Lorsque Dominic ouvrit ses bras, et que sa mère vint s'y nicher en sanglotant, tout le monde avait la larme à l'œil. Dominic la serra contre lui, les yeux fermés – *sans doute pour cacher sa propre émotion*, songea Abby.

Ensuite, il prit Marie Duhamel dans ses bras, et les deux femmes ne tardèrent pas à tomber dans les bras l'une de l'autre, toutes deux pareillement reconnaissantes de ce qu'elles avaient fait pour ce fils qu'elles adoraient.

Ce fut le moment que Lil choisit pour exploser.

— C'est bon, j'en ai marre. On se croirait dans un feuilleton sentimental. Je vais m'exploser les yeux à force. On ne pourrait pas rentrer dans la maison? Colby doit être affamée.

Jake baissa les yeux sur le bébé qu'il tenait dans les bras et qu'il avait presque oublié.

— C'est sans doute pour ça qu'elle mange ma cravate.

Ladite cravate était gluante de bave. Pour un homme qui avait la phobie des bébés, Jake s'accommodait assez bien que Colby fasse ses dents sur lui.

Marie Duhamel prit la petite fille.

— Si vous avez un biberon, je vais le lui donner, dit-elle, avant de se tourner vers la mère de Dominic. Pourquoi ne m'accompagneriez-vous pas, Rosella ? Autant vous habituer, parce qu'à la manière dont ces deux-là sont toujours collés l'un à l'autre, vous serez *Nonna Rosa* avant même de vous en être rendu compte. Ils seraient bien avisés de convoler bientôt.

La mère de Dominic rougit de plaisir.

— Je n'en attendais pas tant lorsque j'ai appelé Thomas, dit-elle, tandis que des larmes de joie lui inondaient les joues. Dominic, tu as tellement de cousins à Montalcino. Tes enfants pourront venir y passer les vacances et faire connaissance avec mon côté de la famille.

Dominic émit une espèce de gémissement. Une pensée horrible vint à l'esprit de sa mère – qui ne put retenir une grimace.

— Tu veux avoir des enfants, n'est-ce pas, Dominic ?

Marie Duhamel répondit pour lui.

— Bien sûr qu'il en veut, Rosella. Il est encore sous le choc, voilà tout. Venez, allons nourrir cette petite Colby – et nous occuper de leur mariage.

Dominic marmotta quelques mots incompréhensibles – quêtant du regard le soutien d'Abby. La jeune femme éclata de rire, et tomba encore plus amoureuse de cet homme glorieusement troublé, qui avait su rester impassible devant la presse internationale, mais perdait pied face à sa famille.

L'embarras de son ami amusait beaucoup Jake. Il ne se départait pas de son sourire – même lorsque Dominic lui jeta un regard noir.

— Je ris avec toi, précisa Jake.

— Je ne ris pas, gronda Dominic.

Toujours hilare, Jake cligna de l'œil à l'intention d'Abby.

— Ce n'est rien. Un détail technique.

Dominic secoua la tête et se risqua à l'autodérision.

— Ils savent que je suis désormais l'une des dix premières fortunes du monde ? Je mérite un peu de respect quand même.

Abby lui tapota le bras, avec une mine faussement apitoyée.

— Je sais, chéri, dit-elle en le tirant par la main vers l'intérieur. Entrons nous rafraîchir. Avec moi, ton secret sera bien gardé.

À l'intérieur, Abby installa tout le monde dans l'un des salons et demanda qu'on apporte des rafraîchissements. L'ambiance demeurait chargée en émotions, mais tout le groupe semblait à l'aise.

Abby et Dominic prirent place sur un divan, Jake et Lil sur un autre, et Thomas et la mère de Dominic sur un troisième. Marie Duhamel se promenait dans la pièce tout en donnant son biberon à Colby. Elle portait sur la petite un regard plein de tendresse comme si elle la connaissait depuis toujours.

Thomas tapota la jambe de Rosella, mais en regardant Dominic.

— Puisque l'heure est à la détente, je vous dois des excuses, Dominic. J'ai toujours su où se cachait votre mère. Je l'ai aidée à fuir et à simuler sa mort, mais j'ai estimé que vous seriez plus en sécurité si on vous cachait la vérité. Je pensais que vous resteriez avec votre père et que vous finiriez par prendre les rênes de l'entreprise. J'avais tort, bien sûr, mais le temps que je mesure l'immensité de mon erreur, il était trop tard. Je ne savais plus comment défaire le désastre que j'avais contribué à créer.

Dominic fixait le vieil homme assis à côté de sa mère.

— Vous l'aimez, dit-il doucement.

L'avocat et sa mère échangèrent un regard éloquent.

— Oui, mais je me suis tenu éloigné d'elle pour la même raison que je vous ai tenu à l'écart. Votre père ne l'aurait jamais laissée être heureuse auprès d'un autre. Il avait une certaine tendance à la cruauté et je ne pouvais pas exposer Rosella.

Sans rien dire, la mère de Dominic posa une main compréhensive sur celle de Thomas.

Une ombre douloureuse passa sur le visage de Dominic.

— J'ai commis tellement d'erreurs avec toi, Abby, dit-il en regardant la jeune femme à ses côtés. Aux yeux du monde, je dois donner l'impression de marcher sur les traces de mon père. Mais je veux que tu saches que si tu décidais un jour de me quitter, jamais je ne songerais à te faire du mal. Ce serait comme de tuer une partie de moi-même. Je veux que tu le saches.

Abby serra sa main dans la sienne.

— Dominic, de la même manière que tu n'es pas ton père, je ne suis pas ta mère. Je n'ai pas peur de toi.

Abby sourit parce qu'elle savait que ce qu'elle disait était la plus exacte vérité. Et parce qu'en une semaine, sa vision du monde avait été complètement chamboulée.

— Merde, d'un claquement de doigts, je peux même avoir un appui militaire. En fait, tu devrais peut-être t'inquiéter de ce qui pourrait t'arriver si tu tentais de me quitter.

Lil en rajouta une couche.

— Ne croyez pas qu'elle plaisante, Dominic. C'est une sacrée bonne femme que vous allez épouser.

— Eh! protesta Abby, amusée.

Même si elle plaisantait, Lil regardait sa sœur avec des yeux pleins d'amour.

— Je ne sais pas si vous savez, dit Lil à son petit auditoire, mais Abby m'a élevée après la mort de nos parents, il y a quelques années. Elle m'a maintenue dans le droit chemin et m'a soutenue dans mon parcours scolaire tout en menant ses études. C'est la personne la plus forte que je connaisse. Je suis très fière d'elle – même si j'évite de le dire parce qu'elle a un peu tendance à jouer les dictateurs quand elle croit qu'elle a raison.

— Elle n'a probablement pas eu le choix. Je suis sûr que tu n'as pas dû être une enfant facile, intervint Jake.

Lil se tourna théâtralement vers lui.

— Tout l'inverse de toi, j'imagine ? Dominic, est-ce que Jake est né avec une cravate ? Il ne l'enlève jamais. Jamais. Je l'ai emmené faire un bowling et il est venu habillé comme ça. Les gens croyaient que je sortais avec un parrain de la mafia.

Inévitablement, Abby bondit sur cette information.

— Vous êtes allés faire un bowling tous les deux ?

Dominic se redressa en riant.

— J'aurais aimé voir ça !

— C'était son idée, intervint Jake, plus attendrissant que jamais dans sa tentative de justification.

Marie Duhamel s'arrêta derrière Dominic pour le réprimander gentiment.

— Arrêtez de taquiner ce pauvre Jake. Vous voyez bien qu'il a un faible pour elle.

Lentement mais sûrement, les joues de Jake s'empourprèrent. Tout le monde partit d'un grand rire. Lil était la seule à ne pas trouver ça drôle.

— Lui, ce qu'il aime, c'est dire aux autres ce qu'ils doivent faire. Il est aussi pénible qu'Abby.

— C'est comme de parler à un mur, grommela Jake, provoquant un nouvel éclat de rire.

En cet instant de communion, la mère de Dominic ne put retenir un cri du cœur.

— Comme je voudrais que Nicole soit avec nous !

Tout le monde se figea et les regards se tournèrent vers Dominic. Pour la première fois, l'évocation de sa sœur ne l'avait pas mis sur la défensive.

— Elle le sera, mère. Nous y veillerons.

Abby se serra contre son futur époux.

— « Nous ». Voilà qui me plaît beaucoup.

— Moi aussi, dit-il, apparemment assez content de lui.

Thomas se racla la gorge.

— Je sais que ces dernières journées ont été particulièrement chargées pour vous, Dominic, dit-il avec un air embarrassé, mais il y a eu des développements du côté de Nicole, dont vous devez être informé.

Dominic se pencha en avant, instantanément concentré.

— De quoi s'agit-il ?

— Elle pense avoir trouvé quelque chose pour faire casser le testament, mais je crains bien qu'elle soit en train de vendre son âme pour parvenir à ses fins, expliqua Thomas, non sans quelques hésitations.

Dominic se leva pour venir se mettre devant l'avocat.

— Arrêtez de tourner autour du pot, Thomas. Allez droit au but.

Thomas remonta ses lunettes sur son nez, puis se jeta à l'eau.

— Elle est en train de passer un accord avec Stephan Andrade. Je n'ai pas tous les détails. Il s'agirait d'une clause prévoyant que tous les contrats antérieurs doivent avoir été soldés pour que les dispositions testamentaires puissent être exécutées.

Furieux, Dominic se redressa de toute sa taille, donnant l'impression d'avoir doublé de hauteur. Toute trace d'affabilité avait disparu. Il était comme un puma apprivoisé qui renoue avec son instinct agressif face au danger. La pièce tout entière fut imprégnée de sa colère. Il était l'homme devant lequel les dignitaires s'écartaient. Abby ne doutait pas un instant que ce Dominic-là aurait pu lâcher Corisi Enterprises et se frayer de nouveau un chemin jusqu'au sommet du monde financier en quelques années à peine.

De rage, il assena un coup sur sa cuisse.

— De toutes les idioties possibles, il fallait qu'elle choisisse celle-là. Elle ne sait donc pas que Stephan n'aimerait rien tant que de trouver un moyen de me nuire ?

Thomas secoua tristement la tête.

— J'ai essayé de lui dire, mais elle ne veut pas m'écouter. Elle prétend qu'ils sont amis de longue date.

D'un geste plein de colère, Dominic se passa une main dans les cheveux.

— Putain, mais qu'est-ce que ça veut dire ?

— Je n'en sais pas plus que vous, répondit Thomas d'un ton affable, mais il se murmure que Nicole a passé beaucoup de temps dans la demeure d'Andrade près de New York.

— Je le tuerai, gronda Dominic.

— Pas si je mets la main sur lui d'abord, dit Jake en venant se mettre aux côtés de Dominic.

Il avait l'air aussi furieux que son ami.

Cela lui valut un grognement approbateur de la part de Dominic – suivi d'une question pleine de sarcasme.

— Je croyais que tu ne faisais jamais rien qui pourrait t'obliger à aller te cacher au fin fond du monde pour échapper à une extradition ?

Jake dénoua sa cravate avec un air farouche.

— Là, ça en vaudrait la peine.

Du regard, Abby appela Thomas à l'aide.

— Vous pouvez leur remettre les idées en place avant qu'ils fassent une bêtise ?

Thomas haussa les épaules.

— Dominic, considérez que je viens de vous parler dans le cadre d'une consultation. Comme ça, je ne pourrai pas témoigner contre vous.

Abby parcourut désespérément la pièce des yeux.

— Marie, vous ne pouvez pas les calmer ?

Marie Duhamel esquissa une grimace.

— C'est une vieille histoire entre Stephan et lui. Je crains fort que Nicole n'ait à souffrir si personne n'intervient.

D'une manière ou d'une autre, quelqu'un va souffrir, songea Abby.

Les bras croisés, elle se planta devant Dominic et Jake. Dominic aimait – entre autres choses – sa capacité à lui tenir tête. En cet instant précis, Abby savait qu'elle devait dire le fond de sa pensée.

— Personne ne va faire quoi que ce soit tant que nous n'aurons pas parlé à Nicole.

La mâchoire de Dominic restait obstinément crispée.

— Tu ne sais pas à quel point cet homme est dangereux, Abby.

— Son intégrité physique est en danger ? demanda-t-elle.

— Probablement pas, concéda Jake.

— Alors il va falloir trouver un moyen de dénouer tout ça, sans dresser un mur définitivement infranchissable entre Nicole et toi. Qu'est-ce qui est le plus important : une vieille rancune ou la perspective de renouer avec ta sœur ?

Abby posa une main apaisante sur le bras crispé de Dominic. Instantanément, ses muscles se détendirent sous sa caresse. La colère du milliardaire se dissipait.

— Je déteste admettre qu'elle a raison, dit-il.

— Moi aussi, confirma Lil.

— Il ne va rien arriver à Nicole, Dominic. Nous ne le laisserons pas faire.

Dominic et Jake échangèrent un petit clin d'œil qui éveilla les soupçons d'Abby et lui évoqua un souvenir. Elle avait un jour apprivoisé un chat de gouttière, qui ronronnait lorsqu'on le caressait, et acceptait même d'être toiletté. Mais derrière le vernis, il avait conservé un certain degré de sauvagerie. Abby allait devoir faire vite pour découvrir ce qui se tramait avec Nicole.

Sinon, tout donnait à penser que les deux hommes régleraient les choses à leur manière. Elle agita un index à leur intention.

— Promettez-moi de ne rien faire tant que nous ne saurons pas ce qui se passe.

Dominic concéda un grognement évasif. Jake détourna la tête.

— Ne fait-elle pas une bru magnifique ? murmura en aparté Marie Duhamel à la mère de Dominic. J'ai su qu'elle lui conviendrait dès l'instant où je lui ai parlé.

Les paroles d'Abby semblèrent produire leur effet sur Dominic. Des yeux, il parcourut la pièce comme s'il découvrait chacune des personnes présentes pour la première fois. Son regard approbateur s'attarda sur le couple que Thomas formait avec sa mère, avant de passer, avec une lueur chaleureuse, à Marie Duhamel qui berçait doucement le bébé endormi. Puis des rides apparurent au coin de ses yeux lorsqu'il releva en souriant que Jake avait rapidement regagné sa place aux côtés de Lil. Pour finir, il baissa la tête vers Abby et la serra plus fort contre lui.

— La famille. Voilà un mot qui me plaît.

— À moi aussi, renchérit Abby.

Elle avait suivi le fil de ses pensées aussi sûrement que s'il avait parlé à voix haute. En dépit de leurs passés dissemblables, malgré leur absence de lien de sang, ils formaient bel et bien une famille unie par l'amour.

D'une manière ou d'une autre, ils allaient trouver comment s'en sortir. Comme doit le faire une famille. *Ensemble et unis.*

The Fell Types are digitally reproduced by Igino Marini.
www.iginomarini.com

Achevé d'imprimer en janvier 2014
Par CPI Brodard & Taupin - La Flèche (France)
N° d'impression : 3003013
Dépôt légal : février 2014
Imprimé en France
81121143-1